ÉTUDES
SUR L'ANCIENNE FARCE FRANÇAISE

BIBLIOTHÈQUE FRANÇAISE ET ROMANE

publiée par le
Centre de Philologie et de Littératures romanes
de l'Université des Sciences humaines de Strasbourg
Directeur : Georges STRAKA

SÉRIE A : MANUELS ET ÉTUDES LINGUISTIQUES

——————— 27 ———————

HALINA LEWICKA

ÉTUDES
SUR L'ANCIENNE FARCE
FRANÇAISE

ÉDITIONS KLINCKSIECK • PARIS
PWN — ÉDITIONS SCIENTIFIQUES DE POLOGNE • WARSZAWA
1974

ISBN 2-252-01580-2

© PAŃSTWOWE WYDAWNICTWO NAUKOWE — WARSZAWA 1974

IMPRIMÉ EN POLOGNE

AVANT-PROPOS

Les études qui forment ce volume ont été, pour la plupart, déjà publiées au cours des vingt dernières années. S'il a semblé utile de les réunir ici, c'est que les revues ou les mélanges dans lesquels elles se trouvent ne sont pas toujours d'un accès facile. D'autre part, des travaux plus récents et nos propres recherches menées entre-temps ont nécessité une remise à jour et même, pour certaines, une refonte assez radicale.

Ainsi l'étude sur le lieu d'origine de la farce de *Me Pierre Pathelin* diffère sensiblement du texte publié dans BHR XXIV (1962). Si elle en reproduit quelques passages, le point de vue général a été modifié par rapport à la position prise il y a dix ans. L'histoire de « l'enfant mis aux écoles » constitue une synthèse nouvelle de plusieurs contributions de détail primitivement séparées. Aux notes sur quelques pièces du *Recueil Cohen* (*Romania* LXXVI, 1955), on a ajouté, entre autres, un chapitre sur la farce du *Clerc qui fut refusé à être prêtre*.

Parmi les articles, plus ou moins changés, *le Développement d'un schéma de farce* a paru dans BHR XX (1958), *les Noms des « métiers plaisants »* dans la *Festschrift V. Klemperer* (Halle 1958), *l'Emploi stylistique des dialectes* dans *Kwartalnik Neofilologiczny* VIII (1961), *les Plus récentes datations* dans BHR XXV (1963), *la Farce d'un mari jaloux* dans les *Mélanges M. Brahmer* (Varsovie 1967), *Un prénom spécialisé* dans *Marche romane* 1969/1, *la Fausse compréhension du langage* dans les *Mélanges Jean Frappier* (Genève 1970).

En regroupant ces dix études dans un ordre logique, nous avons tâché d'en faire un ensemble plus cohérent, centré sur quelques problèmes fondamentaux relatifs à l'ancienne farce, tels que les rapports entre le théâtre et la littérature narrative, les types de comique et leur rôle dans la structure spécifique du genre, les méthodes de datation et de localisation des textes dramatiques du XVe et du XVIe siècle. Plusieurs éléments ou épisodes farcesques ont été de la sorte envisagés sous divers angles, ce qui a pu donner lieu à quelques répétitions que le lecteur voudra bien excuser.

Le tout a été précédé d'un bref article qui fait le point des opinions sur la farce et sa place parmi les autres genres du théâtre médiéval.

Enfin, la bibliographie indiquée dans le corps du volume a été complètement rénovée. Elle comporte, en principe, tous les ouvrages parus dans ce domaine avant le milieu de l'année 1972.

H. L.

I. GÉNÉRALITÉS

1. LA FARCE ET LES GENRES DRAMATIQUES DU MOYEN ÂGE

La difficulté de définir et de délimiter les genres du théâtre médiéval fait depuis longtemps l'objet de discussions. Comment distinguer la farce de la sottie et ces deux genres de la moralité ? Les pièces à deux personnages ou à trame peu développée doivent-elles être traitées séparément, autrement dit y a-t-il lieu de mettre à part les dialogues et les débats ? Qu'est-ce qui permet de discerner les pièces dramatiques de celles qui n'ont pas été destinées à la scène ? — autant de questions auxquelles les chercheurs ont donné des réponses variées et contradictoires.

Ce qui augmente la confusion des genres, c'est la nonchalance connue avec laquelle les auteurs de l'époque accolaient à leurs œuvres telle ou telle autre étiquette. De nombreuses sotties portent le nom de « farces », comme la « farce nouvelle fort joyeuse à trois personnages : le Prince, le premier Sot, le second Sot » (n° I du *Rec. Cohen*), la « farce nouvelle des Esbahis » (n° III du même *Recueil*) ou la « farce moralisée des Gens nouveaulx » (*Rép.* n° 113), etc. ; il en est pareillement des moralités : celle de *Bien mondain* est appelée « farce nouvelle, fort joyeuse et morale » (n° 77), celle de *Vouloir divin* de Guillaume des Autels (n° 65) — « dialogue moral », et, écho des modes nouvelles, celle du *Pape malade* (n° 54) — « comédie », de *l'Homme justifié par Foi* de Henry de Barran (n° 38) — « tragi-comédie ». Certaines pièces à deux personnages portent le nom de « dialogues », comme *Beaucoup voir* (*Trep.* I, n° II) ou *MM. de Malle-paye et Baillevent* (*Rép.*, n° 148), alors que d'autres de type semblable sont dénommées « farces », p. ex. *la Confession Margot* (ATF I, p. 372) ou *le Gaudisseur* (*Trep.* 1, n° I) qui, du reste, est plutôt une sottie. Enfin, tel monologue est, sans raison visible, qualifié de « sermon », comme le grivois *Ramoneur de cheminées* (*Rép.*, n° 242), de « dits » comme *Me Aliboron qui de tout se mêle* (*Anc. poés. fr.*, I, p. 30), « discours joyeux » comme *les Friponniers* (*Rép.*, n° 228) ou encore « dyalogue (de Placebo) pour un homme seul » (n° 239).

Est-ce à dire que tout effort de distinction doive être abandonné ? Tel est l'avis de plusieurs spécialistes éminents de l'ancien théâtre qui se sont déclarés incapables de trancher dans les cas douteux et ont préféré s'abstenir de séparer farces et sotties, monologues et sermons joyeux,

ainsi que l'a fait dans son *Répertoire* PETIT DE JULLEVILLE. G. COHEN
renonce également à classer les pièces de son *Recueil* en farces, sotties et
moralités, car « il est difficile de faire une discrimination assez nette entre
les divers genres de notre théâtre profane »[1]. Mlle DROZ va plus loin encore,
en constatant que « la distinction que nous cherchons à établir entre la
sottie et la farce n'existait pas dans le texte, ... pas plus que dans l'esprit
des auteurs et dans celui des acteurs et spectateurs »[2]. De même S. CI-
GADA[3], dans sa polémique avec L. C. PORTER[4], considère toute tentative
de délimiter les genres littéraires du Moyen Âge comme illicite et dénuée
de fondement, ces catégories ayant été étrangères aux gens de l'époque.
Cette opinion est aussi partagée par d'autres[5]. Cependant, tout en n'étant
pas d'accord avec les divers développements de L. C. PORTER (cf. ci-dessous),
on peut lui donner raison, lorsqu'il défend le droit des modernes à définir
les notions imprécises des genres littéraires du Moyen Âge. Le problème
qui se pose est plutôt celui d'appliquer des critères suffisamment objectifs.
Si l'on doit s'attacher à la forme, comme le croit M. Omer JODOGNE[6],
il ne semble pas qu'on puisse pour autant négliger le contenu.

Certes les diverses tentatives de définir l'ancienne farce et de la discerner
des genres voisins, parfois trop unilatérales, peuvent être critiquées.

Ainsi I. MAXWELL[7] restreint exagérément la portée de la farce, ne
voyant en elle qu'une anecdote ou un incident dramatisés. Elle ne viserait
guère à peindre, ne serait-ce que d'une manière caricaturée, des situations
et des caractères réels et serait destinée uniquement à faire rire.

Pour L. C. PORTER « la farce n'est en réalité qu'un fabliau mis en dialogue et porté sur la scène »[8]. Comme cette idée, émise déjà avant lui,
serait difficile à prouver — aucune farce ne dérive directement d'un fabliau
— l'auteur la modifie en ce sens qu'il ne s'agirait que d'une autre manifestation de la même tradition « les différences se bornant aux aspects

[1] G. COHEN, *Recueil de farces*, p. XI.
[2] E. DROZ, *Trep.* I, p. LXVIII s.
[3] SF X (1960), pp. 123-124 et XI (1961), pp. 487.
[4] L. C. PORTER, *La Farce et la Sottie*, ZRPh LXXV (1959), pp. 89-123 et SF 1961,
p. 486.
[5] Voir les opinions au sujet de la distinction des genres littéraires médiévaux citées
par O. JODOGNE, *La farce et les plus anciennes farces françaises* in *Mélanges R. Lebègue*,
Paris 1969, pp. 7-8.
[6] *Ibid.*
[7] I. MAXWELL, *French Farce and John Heywood*, Melbourne Univ. Press 1946.
[8] L. C. PORTER, *article cité*, pp. 106 ss.

extérieurs des deux genres » [9]. Le fabliau, disparu au XIVe siècle, aurait été tout simplement substitué par la farce.

B. C. BOWEN, à qui nous devons une des meilleures études sur le genre farcesque [10], a également tendance à en limiter l'importance. Tout en croyant que la farce est une tranche de vie et que ses « personnages sont ancrés dans la réalité », elle la considère comme un divertissement bénin et lui refuse toute signification sociale et idéologique. En conséquence, elle ne tient pas pour farces des pièces dans lesquelles la satire est moins anodine ainsi que les pièces de polémique religieuse. Cependant, si on a-doptait ce point de vue, il faudrait exclure, outre les quelques pièces dont elle parle [11], un bon nombre d'autres qui, à travers des personnages plus ou moins stéréotypés, atteignent tout un groupe social, comme les curés ignorants qui savent à peine dire leur messe, les marchands de reliques et de pardons, les médecins-charlatans qui « guérissent toutes sortes de maladies et plusieurs autres », les soldats fanfarons dont les exploits ont pour objet surtout les volailles des voisins. Outre le Maître d'école et les Théologastres, on ne pourrait pas plus retenir certaines farces scolaires qui critiquent l'enseignement officiel et sentent l'esprit de la Réforme.

En fait, la différence entre la farce et les autres genres, surtout la sottie, ne réside pas essentiellement dans les idées et le degré d'agressivité qu'elles présentent.

Elle ne se traduit pas plus par les noms des personnages qui ont souvent servi de critère de distinction entre la farce et la sottie. Pour PETIT DE JULLE-VILLE « quand la farce est jouée par des sots, elle est sottie » [12]. PICOT voit également l'un des principaux traits de la sottie — à côté du titre et des « traces de fatrasie » — dans les personnages de sots, de galants, de compagnons, de pèlerins, d'ermites [13]. Or, s'il est vrai que la sottie est principalement peuplée de « sots » ou de « fous », ceux-ci ne lui appartiennent pas en propre. Ainsi on trouve des fous dans les farces conjugales du Pauvre Jouhan (Trep. I, n° VII), de Janot, Janette, l'Amoureux, le Fol, le Sot (R.XVIe 1923), le Fol, le mari, la femme et le curé (Arch. rom. 1929). Les

---

[9] Loc. cit., p. 106.

[10] B. C. BOWEN, Les caractéristiques essentielles de la farce française et leur survivance dans les années 1550-1620, Urbana, Univ. of Illinois Press 1964. Voir aussi l'article de la même : B. CANNINGS, Towards a definition of farce as a literary « genre », MLR LVI (1961), pp. 558-560.

[11] Voir à la fin de ce volume « Les plus récentes datations d'anciennes farces ».

[12] Rép., p. 105.

[13] E. PICOT, Rec. gén. sotties, I, p. IX.

Trois galants et Phlipot que PICOT a inséré dans son *Recueil de sotties* se rattache au cycle farcesque des soldats bravaches et *les Trois Coquins* (n° LIII du *Rec. Cohen*) est de la même veine que la célèbre farce du *Pâté et de la tarte* où on a également deux coquins, dénommés seulement « le premier » et le « second ». Des fous apparaissent aussi dans les moralités et dans les épisodes comiques des mystères.

De même, la présence de personnages allégoriques ne signifie pas toujours qu'on a affaire à une moralité. En dépit des noms, *Cauteleux, Barat et le Vilain* est bien une farce[14], comme le prouvent ses trois motifs : l'homme déguisé en âne, le vendeur dupé par des clients, l'imbécile enfermé dans un sac et battu par deux rusés compères. Il en est de même de Peufile, l'une des trois commères[15] qui se disputent un amant.

D'ailleurs, qu'ils s'appellent Sot dissolu ou Messire Jehan, le Curé, l'Ecclésiastique ou Église, Monsieur de la Hannetonnière, Seigneur de Petit Pouvoir, le Gentilhomme ou Noblesse, les personnages de l'ancien théâtre incarnent toujours les mêmes classes sociales avec leurs traits typiques. Le Vilain, qu'il soit dénommé Jacquet, Thibaut ou Mahuet, Peu d'Acquest ou Plat Pays, n'est pas plus épargné que les représentants des autres états. Ainsi ne peut-on être qu'étonné en lisant sous la plume de Lambert C. PORTER, « La farce est le portrait du menu peuple tel qu'il existait à la fin du Moyen Âge tracé par le peuple lui-même »[16]. En réalité la farce comme les autres genres dramatiques, reflète surtout les idées de la bourgeoisie cultivée ; c'est à elle qu'appartiennent les auteurs, intellectuels de l'époque, dont les noms nous sont parvenus, comme André de la Vigne, Pierre Gringore, Jehan d'Abondance.

Leur vision du monde, telle qu'elle ressort de la farce, est d'un pessimisme foncier qui englobe aussi bien l'individu que la société. En effet, bien qu'elle obéisse à d'autres conventions dramatiques que la sottie et la moralité, la farce veut également atteindre le général au-delà du particulier.

Les auteurs ne cherchent guère à reproduire les caractères et les rapports humains dans toute leur variété. Il s'agit généralement de types et non de caractères. Comme le dit bien M. R. LEBÈGUE dans sa brève mais excellente synthèse du théâtre comique : « Dans la comédie classique, les principaux

---

[14] Voir F. LECOY, *La farce de Cauteleux, Barat et le Vilain* in *Mélanges J. Frappier*, t. II, pp. 595-602.

[15] C'est sous ce titre que la farce a été publiée par P. MEYER in *Romania* X (1881), pp. 533 ss.

[16] *Article cité*, p. 106.

personnages se définissent par leur vice ou travers essentiel. Dans la farce, ils sont caractérisés par leur métier ou leur situation conjugale ou par les deux »[17]. Les acteurs ne portent que rarement des prénoms et encore ceux-ci sont-ils souvent symboliques, comme Jean ou Jacquet, qui incarnent le sot du village ou le mari berné (voir dans ce volume : « Un prénom spécialisé »). Le plus souvent les noms de personnages indiquent une profession — le savetier, le ramoneur, le chaudronnier, le marchand ou une situation familiale — le mari, la femme, le père, la mère, le fils, etc., exceptionnellement un trait de caractère — *Glorieux* ou l'amant et *Affriquée* ou la coquette du *Pauvre Jouhan*, *l'Aventureux* dans la farce de ce nom. Pour la plupart, les personnages de la farce se ramènent à quelques modèles tirés en quantité d'exemplaires. Ainsi les maris sont généralement des imbéciles qui se laissent mener au bout du nez par leurs épouses égoïstes, rusées et infidèles sinon dans le fait du moins dans l'intention ; les belles-mères ne valent guère mieux et, de règle, prennent le parti de leur fille contre le mari malmené ; les amoureux, surtout des prêtres ou des moines dissolus, sont à peine dessinés et ne servent que de ressort de l'action ; les enfants sont niais et paresseux, etc. Moins stéréotypés que les futurs acteurs de la *commedia dell'arte*, ces personnages peuvent subir des mutations radicales : un candidat à la prêtrise devient « un valet à tout faire » (voir plus loin « La farce d'un Mari jaloux ») ou un faux brave (*Me Mimin à la guerre*, *Rec. Cohen*, n° IV).

Ce qui importe davantage que les acteurs du petit drame, c'est son sujet et sa structure. Selon les habitudes du temps, les auteurs de farces ne recherchaient pas toujours l'originalité, ils prenaient leur bien où ils le trouvaient, surtout dans le riche stock de la tradition narrative. Peu de thèmes ou de motifs farcesques n'ont pas de correspondants dans la nouvelle ou dans le folklore, beaucoup y sont représentés par de multiples variantes. Les auteurs empruntent aussi les uns aux autres, en remaniant des pièces à succès, leur ajoutant une fin ou des péripéties nouvelles.

La présence d'une histoire ou d'une anecdote comique est certainement un des traits distinctifs de la farce. Les sujets des moralités, d'habitude délayés dans d'interminables discours philosophiques ou moralisateurs, s'ils ne sont pas tirés de la Bible ou de l'histoire, développent sous des formes variées le débat des vices et des vertus ou du corps et de l'âme[18].

---

[17] R. LEBÈGUE, *Le théâtre comique en France de Pathelin à Mélite*, Paris 1972 (« Connaissance des lettres »), p. 29.

[18] Dans son ouvrage sur les débuts de la tragédie religieuse en France, Paris 1929.

Quant à la sottie, elle ne comporte pas d'« intrigue », même embryonnaire. L'action ou plutôt l'incident — s'il y en a un — Chascun qui cherche à imposer sa volonté en soufflant sans succès dans sa trompe (*Sottie des Trompeurs, Rép.*, n° 204), l'enterrement facétieux d'un acteur (*Vigiles Triboulet, Trep.* I, n° X), la rébellion plus imaginaire que réelle des sujets d'un prince (*Les Sots écornés, Trep.* I, n° XV) — ne change pas la situation de départ.

Il est vrai que certaines farces se réduisent elles-aussi à une parade de foire, un bon tour ou un malentendu comique. L'action y est insignifiante. D'autres n'en ont guère, comme *le Procès d'un jeune moine et d'un vieux gendarme* (*Rép.* n° 96), *les Malcontentes* (n° 135) ou *les Trois Brus* (n° 80). Ces « débats » ont-ils été destinés à être joués ? On pourrait parfois en douter. Cependant, la même question se pose pour de nombreuses sotties ou sermons joyeux qui, aujourd'hui, ne nous paraissent pas convenir pour la scène. Quoi qu'il en soit, il est difficile de séparer ces « débats » des farces proprement dites. On y retrouve, en effet, les mêmes personnages, comme les « brus » ou filles de mauvaise vie, les « malmariées », les religieux paillards, les bravaches, etc. La grivoiserie, le langage dru et savoureux qualifient également ces pièces à figurer dans le répertoire farcesque.

Il y a moins de raisons encore pour exclure de ce répertoire les pièces à deux personnages ou « dialogues », comme proposait de le faire PICOT [19]. Sans parler du *Vilain et de son fils Jacob* (*Rép.*, n° 212), fragment d'une farce scolaire qui a pu comporter d'autre personnages, rappelons la graveleuse *Confession de Margot, le Gentilhomme et son page* (*Rép.*, n° 114), *les Deux Francs-archers qui vont à Naples* (*Rec. Cohen*, n° XIV) qui n'offrent point cet « échange d'idées rapide et brillant » dans lequel PICOT voyait la caractéristique du dialogue. Il semble plus prudent de les laisser parmi les farces dont ils sont proches par leur esprit, leurs acteurs et jeux de

---

pp. 81 ss., M. LEBÈGUE classe les moralités en : a) comiques et satiriques, b) religieuses et mystiques, c) bibliques, d) historiques.

[19] Voir *Picot-Nyrop*, pp. XXXIX ss. Une analyse brillante de la technique du « dialogue » a été faite dans la thèse récente de J.-Cl. AUBAILLY, *Le Monologue, le Dialogue et la Sottie*, 2 vol., Montpellier 1972, dont nous n'avons eu connaissance que lorsque ce volume était déjà terminé. Cependant l'auteur admet lui-même qu'il s'agit moins d'un « véritable genre » ... que d'une « étape importante de l'évolution qui conduit ... du monologue à la farce et à la sottie » (II, p. 100). Ainsi défini, le dialogue a des limites bien indécises. La liste des 27 dialogues, donnée, t. II, pp. 551 ss., comprend des pièces non-dramatiques, comme *le Blason des Dames* ou *les Dits de Salomon et de Marcon*, des farces, comme *l'Obstination des femmes*, des sotties, comme *Trotte Menu et Mire Loret, Me Pierre Doribus*, etc.

scène. De toute façon ces débats et « dialogues » — au total une quin-
zaine — ne présentent qu'une faible marge de l'ensemble du répertoire.

D'autre part, la facture dramatique de la farce est, elle-aussi, plus
que rudimentaire. L'action commence sans préambule aucun, si ce n'est
parfois un monologue. Celui-ci ne sert pas d'exposition et son lien avec
le reste de la pièce peut être lâche à tel point qu'il est permis de se demander
s'il n'a pas constitué primitivement un texte séparé — monologue de
charlatan, de fac-totum, etc. [20]. Pas de dénouement non plus au sens
classique : le plus souvent une batterie ou... un bon repas auquel on convie
tout le monde. En fait, il n'y a rien à débrouiller, l' « intrigue » n'existant
pas. Indépendamment du nombre de personnages, l'action est peu compliquée [21]. Souvent il ne s'agit que d'un ou deux épisodes qu'il serait malaisé
de diviser en scènes. Le déroulement rapide de l'action s'accompagne
d'un dialogue vif, émaillé d'expressions savoureuses, de jurons et de serments. Les dimensions de la farce dépassent rarement 400-500 vers. Parmi
les pièces plus longues qui font exception — il y en a une, il est vrai, d'importance, celle de *Pathelin*, qui compte 1600 vers à peu près.

Un dernier point qui nous paraît fondamental pour la distinction de la
farce en tant que genre dramatique, c'est le type et le rôle du comique.

On a beaucoup parlé du comique purement verbal de l'ancienne farce.
Nous avons nous-même abondé en ce sens [22]. Cependant, à y regarder
de plus près, l'amusement formel considéré comme une fin en soi est moins
fréquent qu'il ne semble au premier abord. Il est certain qu'on trouve
dans les farces les divers types de comique verbal, tels que longues énumérations, litanies d'injures, jargons et patois, etc., dans lesquels la signification est nulle ou secondaire par rapport à la masse sonore. Mais, généralement, ceux-ci n'ont pas de valeur en eux-mêmes. Ils s'intègrent dans
une structure supérieure et corroborent le comique de caractère ou de
situation. Ainsi les jargons de Pathelin « mourant » ne sont pas uniquement
des « touches dialectales » comiques[23] : elles font rire le public qui com-

---

[20] J. P. JACOBSEN, *Essai sur l'origine de la comédie en France au Moyen Âge*, in
Rev. phil. fr. et litt., XXIII (1910), pp. 103 ss. et 161 ss., généralise trop en prétendant
que la farce tirerait son origine même du monologue.

[21] Nous avons essayé de démontrer dans « Le développement d'un schéma de
farce » (ci-dessous) que l'accroissement du nombre de personnages n'influait pas nécessairement sur l'action dramatique.

[22] Surtout dans notre ouvrage sur la *Langue et le style du théâtre comique français
des XVe et XVIe siècles*, t. I, Varsovie-Paris, 1960, pp. 341-364, et t. II, 1968, pp. 164-180.

[23] Le terme est de M. Maurice PIRON, cf. ci-dessous « L'emploi stylistique des dialectes », n. 3.

prend le bon tour joué au drapier désorienté ; ailleurs elles servent de
caractéristique sociale. De même, le latin de cuisine n'est pas destiné seulement à amuser les lettrés et à évoquer des associations phonétiques licencieuses : il flétrit l'ignorance du clergé. Les énumérations — survivance
du monologue — interviennent surtout dans les boniments des vendeurs
d'orviétan et des « valets de tous métiers » ; les réponses mal à propos
caractérisent les naïfs vrais ou feints ou reflètent des situations fausses
(cf. ci-dessous « Un procédé comique »).

Les jeux proprement verbaux sont à peu près inconnus de la moralité
qui, d'ailleurs, est à cheval entre le théâtre sérieux et le théâtre comique.
On y trouve quelquefois des éléments du comique de caractère [24].

Par contre, les « traces de fatrasie » dont parle PICOT dans sa définition
de la sottie, citée plus haut, c'est-à-dire les propos sans suite, les joutes
de mensonges et d'énormités [25], les contrepèteries et autres amusements
verbaux, comme la « décomposition secondaire » — personnaige: par son-
nage: par son aige, etc. [26] —, les « cris » ou énumérations abasourdissantes
sont un trait inhérent à la sottie. Ils se rencontrent aussi dans plusieurs
sermons joyeux, sorte de sotties à un personnage, tel *le Fol changeant
plusieurs propos* du *Rec. Trepperel*[27].

Là encore, ces jeux verbaux qui, poussés à l'extrême, mènent à un
éclatement de la langue, sont fonction de la poétique du genre. Sans exagérer
les affinités avec le théâtre de l'absurde moderne [28], on peut admettre que,
dans l'un et l'autre cas, le pure non-sens fait partie des moyens mis en
œuvre pour faire apparaître l'ineptie du monde existant. L'antimonde que
lui oppose la sottie, conformément à l'idée répandue à l'époque, est rempli
de fous. Cette société possède sa propre hiérarchie — princes, abbés,
etc. — à rebours de la hiérarchie officielle. La folie déchaînée équivaut

---

[24] Voir R. LEBÈGUE, *Le théâtre comique*, pp. 15 s.

[25] Cette sorte de comique est largement répandue dans le folklore, cf. A. de FÉLICE,
*Les joutes de mensonges et les concours de vantardises dans le théâtre comique médiéval
et le folklore français*, Congrès international d'Ethnographie, Santo Tirso (juillet 1963),
vol. II, pp. 37-83. Voir aussi AaTh, n° 1820.

[26] Sur ce procédé voir notre *Langue et style du théâtre comique*, t. II, pp. 167 et
n. Largement pratiquée chez les rhétoriqueurs, la décomposition secondaire et le calembour y font partie d'une structure générale différente.

[27] Cf. PETIT DE JULLEVILLE, *Rép.*, p. 267. L'esprit du sermon est proche de celui
de la sottie. Les différences sont surtout formelles : citations de textes liturgiques et
nombre de personnages.

[28] C'est là la tendance de A. E. KNIGHT dans son article, d'ailleurs excellent, *The
Medieval Theater of the Absurd*, PMLA LXXXVI (1971), pp. 183-189.

à une liberté anarchique qui permet de faire fi de toutes les contraintes et tabous, politiques, religieux, sociaux [29]. Le délire verbal, les amusements avec les mots, les propos décousus en sont l'une des manifestations. Plus que les personnages des sots, ils contribuent à créer cet univers de folie bouffonne propre à la sottie et au sermon joyeux.

Evidemment, aucune sorte de comique n'est propre à tel ou tel genre théâtral, mais leur valeur est différente selon les structures sémantiques d'ensemble. C'est celles-ci qu'il convient d'étudier, plutôt que des procédés comiques isolés, pour serrer de plus près la nature des genres dramatiques du Moyen Âge [30]. Cependant, même les définitions les plus précises ne peuvent concerner que des catégories idéales et non leurs réalisations concrètes. Le résidu des pièces « hybrides », difficiles à étiqueter, restera toujours considérable [31].

---

[29] Ce qui a été dit de mieux à ce sujet revient certainement à M. BAKHTINE, *L'œuvre de François Rabelais et la culture populaire au Moyen Âge et sous la Renaissance*, trad. fr., Paris 1970, pp. 13 ss., mais il semble qu'il se trompe en attribuant une origine essentiellement populaire à toutes les formes des « rites carnavalesques ».

[30] Un grand pas en avant dans ce sens a été fait dans la thèse citée ci-dessus de J.-Cl. AUBAILLY.

[31] Pour s'en convaincre une fois de plus, il n'est que de jeter un coup d'œil sur la liste des sotties donnée, *ibid.*, t. II, pp. 551 ss. On y trouve, entre autres, les moralités de *Bien Mondain* et de *la Croix-Faubin*, la farce des *Brus, Marchebeau et Galop* qui figure aussi dans les « Dialogues ».

II. THÈMES ET MOTIFS

1. LE DÉVELOPPEMENT D'UN SCHÉMA DE FARCE

Dans ses excellentes pages dédiées au cycle dramatique de Thévot le Maire, Emmanuel PHILIPOT a fait ressortir quelques procédés mis en œuvre par les auteurs tardifs et les remanieurs d'anciennes farces [1].

Le principal de ces procédés consiste à exploiter la popularité d'un personnage comique en le plaçant dans des situations toujours nouvelles (cf. le cycle de Mᵉ Mimin ou celui de Pathelin).

Un autre procédé répandu est celui de la reduplication. Le plus souvent il s'agit d'un personnage (qui se double d'un sosie ou est doté d'une postérité), parfois de quelques personnages (les deux pères et les deux fils de la farce de *l'Aventureux et Guermouset*), voire même d'un détail secondaire (la jument de Thévot).

On peut se demander si des procédés analogues n'avaient pas été également appliqués à la structure dramatique de la farce, à la façon de combiner les situations et les personnages.

Quelques farces sembleraient l'indiquer ; en effet, tout en présentant des développements assez variés et puisés à diverses sources, elles peuvent toutes être ramenées à un même schéma : à la mésentente conjugale se mêle un individu plus ou moins louche, sorte de charlatan ou de factotum. C'est lui qui apporte la solution dramatique en faveur de l'une ou l'autre partie.

Deux types sont à distinguer : un canevas à trois acteurs — un couple et l'homme à tout faire $(2+1)$, et un canevas à cinq acteurs — deux couples et le même $(2 \times 2 + 1)$. On voit le premier type dans la farce d'une *Femme à qui on baille un clystère* [2], dans celle d'un *Chaudronnier* [3]. La farce du *Vieillard, de la femme et du peintre* ou *Fontaine de jouvence* [4] comporte également certaines affinités avec ces pièces [5]. La mésentente entre les époux vient surtout de la différence d'âge. Le peintre est un filou malhonnête et procède à une opération de même aloi que celle des charlatans dans

---

[1] *Six farces*, pp. 192-199.

[2] *Rec. Cohen*, n° XXVIII.

[3] ATF, t. II, pp. 105-114.

[4] E. PICOT, *Farce inédite du XVIᵉ siècle*, Bibl. 1900.

[5] Dans certaines farces c'est le valet qui joue un rôle analogue, cf. p. ex. *Tarabin et Tarabas* (*Rec. Cohen*, n° XIII).

les autres pièces. Au deuxième type appartiennent la farce des *Femmes qui font refondre leurs maris* [6] et celle des *Hommes qui font saler leurs femmes* [7], la farce des *Queues troussées* [8] et une réfection du même sujet — *Deux jeunes femmes qui coiffèrent leurs maris par le conseil de Me Antitus* [9].

C'est le rôle joué par l'homme à tout faire qui est l'élément le plus stable de toutes ces pièces. Prenant généralement le parti des femmes il leur offre — en plus de ses multiples aptitudes — ses services galants et devient souvent le *tertius* (ou le *quintus* !) *gaudens*. Le personnage est évidemment inspiré des monologues de vendeurs d'orviétan et de valets « de tous métiers » [10]. De là son unité dans la diversité. Moyennant argent, il est prêt à toutes les besognes. Mais s'il promet les choses les plus invraisemblables, il ne manque pas de lucidité à son propre égard et ses vanteries ne sont pas exemptes d'un grain d'amertume. Parmi ses exploits figurent en bonne place les prouesses en amour.

Parfois le lien avec le monologue est direct. Ainsi le chaudronnier dans la farce de ce nom et celui qui, pour permettre d'autres métaphores, est appelé plus élégamment fondeur de cloches, prononcent à leur entrée en scène des boniments d'ouvriers ambulants. Le « cri » du fondeur :

> Ho, chaulderons vieilz, chaulderons vieilz !
> Or ça, ça, qui ne sçait maniere
> Trouver aujourd'huy de gaigner,
> Et d'amasser et d'espargnier ...

(ATF I, p. 71)

ressemble un peu à celui du chaudronnier :

> Chaudronnier, chaudron, chaudronnier !
> Qui veult ses poesles reffaire ?
> Il est heure d'aler crier
> [Chaudronnier,] chaudron, chaudronnier !

(ATF II, p. 110)

Le fondeur de cloches se vante ensuite de connaître à perfection son métier : « J'ay science belle et honneste... Saichez que je viens d'une escolle ou j'ay aprins maintes sciences ». Le chaudronnier se dit également « bon ouvrier », mais ajoute ironiquement « pour ung trou je sçay deulx faire ».

---

[6] ATF, t. I, pp. 63-93.

[7] Ed. chez J. Pinard, Paris 1830.

[8] *Rec. Cohen*, n° VI; les observations sur cette pièce faites par A. E. KNIGHT, *Notes on Three Farces of the Florence Collection* in *Romania* LXXXVIII (1967), pp. 259-264, n'ont rien à voir avec notre sujet.

[9] *Picot-Nyrop*, n° IV.

[10] PICOT considère ces monologues comme deux variétés d'un seul type, *Mon. II*, pp. 492-518.

Ce sont là les traits typiques des monologues dramatiques. Y a-t-il eu un monologue aujourd'hui perdu de chaudronnier gaillard ? Ce qui ferait croire à son existence c'est la graveleuse farce des *Femmes et du maignen* (ou chaudronnier ambulant) [11]. Les métaphores obscènes sur lesquelles repose cette pièce pourraient avoir été à l'origine du personnage (cf. le sermon et la farce du *Ramoneur de cheminées*). Cependant le « maignen » joue déjà un rôle analogue dans le fabliau de même nom (V, 130), dont la farce est un écho redoublé [12].

La farce des *Femmes et du maignen* nous intéresse aussi pour une autre raison. Elle présente un schéma rapproché du type $2 \times 2 + 1$. Les maris ne sont pas introduits sur la scène, mais se font connaître par les propos des deux femmes. Le sujet des plaintes de ces mal mariées ainsi que leur réticence feinte de se confier l'une à l'autre rappellent de près une scène analogue des *Femmes qui font refondre leurs maris*. Le développement de la situation est du reste différent aussi bien que le rôle du chaudronnier. Il n'est pas impossible que le dénouement soit tronqué. On s'attendrait à une apparition des maris, suivie d'une volée de coups.

Un vrai monologue de triacleur, long de 34 vers, ouvre la farce d'une *Femme à qui on baille un clystère*. Il s'agit, bien entendu, du « clystère barbarin » [13] ; les autres médicaments prescrits par le voisin-charlatan ressortent de même de la thérapeutique burlesque.

Un faible reste d'un pareil monologue se retrouve dans le boniment de Me Macé de la farce des *Hommes qui font saler leurs femmes*. Qualifié tantôt de « philosophe » et tantôt de « triacleur », Me Macé est plus proche de ce dernier. Consulté au sujet des femmes « trop douces », il demande qu'on lui apporte leur urine. Détail que l'on voit entre autres dans les *Dits de Me Aliboron* et qui, à lui seul, suffirait pour évoquer le type familier du médecin [14]. Comme ses congénères, il ne se fait pas d'illusion sur ses connaissances :

> Toutes deux les rendray guaries,
> Saines comme pommes pourries.

Comme eux aussi il a des velléités amoureuses. Mais il tient également

---

[11] ATF, t. II, pp. 90-118.

[12] Il y a, il est vrai, deux femmes dans le fabliau, la maîtresse et la chambrière, mais le « maignen » ne s'occupe que de la première.

[13] Sur cette expression gaillarde voir L. SAINÉAN, *La langue de Rabelais*, t. II, p. 118.

[14] « ... pour congnoistre une orine il n'est que moy » (*Anc. poés. fr.*, t. I, p. 38). On sait que l'examen des urines était au Moyen Âge le principal fondement du diagnostic. Voir Dr BOUTAREL, *La médecine dans notre théâtre comique*, Paris 1918, p. 10.

de l'imbécile pédant et entremêle dans son langage quelques mots de latin macaronique. Le nom de Macé, synonyme d'idiot [15], n'est pas moins significatif.

Un mélange de traits analogue caractérise déjà son aîné, Mᵉ Aliboron, tel qu'il apparaît dans la farce des *Queues troussées* (sur la date de cette pièce voir ci-dessous). Ce triacleur qui parle d'une « emplastre » et d'un « ongnement » est un homme dont le savoir n'est point encore sujet à caution [16]. C'est ce qui a permis à un remanieur de lui substituer Mᵉ Antitus de la farce de *Deux jeunes femmes*. Il est vrai que du personnage réel celui-ci n'a que le nom. Il reste plutôt dans le sillon des types déjà vus ; c'est d'eux qu'il tient, sans doute, sa galanterie et sa complaisance à l'égard des femmes.

On connaît depuis longtemps l'usage que la farce a fait du monologue dramatique et en particulier des boniments de charlatans et d'hommes à tout faire [17]. Mais on ne semble pas avoir assez insisté sur la diversité des procédés d'adaptation et sur leur évolution possible.

Selon JACOBSEN, le personnage sorti du monologue est un élément purement statique [18]. Ceci est vrai pour un certain nombre de textes, pour la plupart anciens, comme les dialogues dépourvus de toute action de *MM. de Mallepaye et Baillevent* [19], de *Gautier et de Martin* [20], de *Deux Francs-archers qui vont à Naples* [21], etc. ou les pièces qui sont surtout des énumérations, telle la farce du *Vendeur de livres* [22], celle du *Bateleur* [23], etc. Avec le temps ce type de farce devient rare. Déjà dans le cycle de

---

[15] Dans un texte du *Recueil Montaiglon*, on lit : « un Génin ou un Macé », *Anc. poés. fr.*, t. III, p. 246.

[16] Sur l'évolution du personnage, voir Mˡˡᵉ DROZ, *Trep.* I, p. 186 ; cf. aussi P. SADRON, *Un emploi du théâtre médiéval : Maître Aliboron*, RHTh, XII (1961), pp. 34-35.

[17] Cf. P. JACOBSEN, *Essai sur les origines de la comédie en France au Moyen Âge* in *Rev. phil. fr. et litt.* XXIII (1910), pp. 103 ss. D'autres exemples ont été plus récemment donnés par R. GARAPON, *La fantaisie verbale et le comique dans le théâtre français du Moyen Âge à la fin du XVIIᵉ siècle*, Paris 1957, pp. 79 ss.

[18] *Ouvrage cité*, p. 165.

[19] Pièce écrite vers 1477 (on y mentionne la bataille de Nancy).

[20] P. AEBISCHER date ce dialogue entre 1480 et 1500, *R. XVIᵉ*, XI (1924), pp. 30 ss.

[21] La forme première de cette pièce est certainement plus ancienne que la troisième décade du XVIᵉ siècle — date proposée par F. LECOY dans son compte rendu du *Rec. Cohen*, *Romania* LXXI (1950), p. 516. Naples ne figure que dans le titre et à l'intérieur de quelques vers où il a pu aisément remplacer un autre nom de deux syllabes. Ce sont là des soins cosmétiques pour remettre à neuf un texte qui pourrait remonter à la première période d'activité des Francs-archers (avant 1480).

[22] Datée par PHILIPOT de 1515-1520, *Six farces*, pp. 18 ss.

[23] Pièce tardive (v. 1555), voir *ibid.*, pp. 43 ss.

Thévot, le bravache est au centre d'un petit drame. Dans les pièces qui nous occupent le rôle principal est souvent dévolu à l'homme à tout faire. Si dans la farce du *Chaudronnier*, dont le sujet — le pari du silence — est emprunté à la littérature narrative [24], il remplace assez fortuitement un autre personnage, ailleurs son alliance avec l'intrigue est plus intime. Celle-ci ne sert pas seulement à montrer les péripéties de la vie conjugale. Elle permet aussi de faire évoluer sur la scène des personnages bien connus. Reflet caricaturé d'êtres réels, ces personnages prennent des traits de plus en plus stéréotypés.

Les autres acteurs du drame à trois ou à cinq personnages ne sont pas moins conventionnels. Qu'ils soient tirés à un ou à deux exemplaires, les maris sont tous des imbéciles jaloux, mais faciles à berner, souvent des vieillards n'ayant aucune autorité ; les femmes ne pensent qu'à leur plaisir et manquent de tout scrupule moral ; impatientes et irascibles, elles ne dissimulent pas leur mécontentement. Si elles sont « douces », les maris n'ont pas plus à s'en réjouir et les font « saler ».

Les traits à peu près constants de ces personnages que l'on retrouve dans d'autres farces déterminent la donnée initiale de nos pièces. Ce n'est que le scénario qui varie. Mais, quel qu'en soit le dénouement, la morale qu'il implique ne change pas : il faut supporter patiemment les misères du mariage, car toute tentative d'y remédier ne ferait qu'empirer les choses. Enseignement bien banal. Si la farce reprend les récriminations contre le mariage, traditionnelles depuis *Matheolus*, elle ne conseille jamais la révolte ouverte.

Seules deux des pièces envisagées sont en rapport étroit : la farce des *Queues troussées* et la farce de *Deux jeunes femmes*. Leur sujet et leur schéma dramatique $(2 \times 2 + 1)$ sont pareils.

Deux hommes, un savetier et un lanternier dans l'une, un chaussetier et un couturier dans l'autre pièce, ont des femmes qui, sous prétexte de dévotions, mènent une vie légère et promènent dans la boue leurs longues queues (traînes). Se doutant plus ou moins d'être trompés (dans les deux pièces l'un des maris est plus naïf que l'autre), ils leur font des reproches. Les femmes cherchent secours auprès d'un homme de bon conseil — Me Aliboron ou Me Antitus — qui a suivi la scène de sa fenêtre. Le premier

---

[24] Il y était largement répandu, cf. AaTh, Types 1351 et 1365 et MI, J 2511. Voir aussi l'article de W. Norman BROWN, *The Silence Wager Stories* in *Amer. Journal of Philol.* XLIII (1922), pp. 289-318. Aux pièces dramatiques qui y sont citées il faut joindre *les Droits de la Porte Baudet*, n° XX du *Rec. Cohen*.

« trousse la queue » aux femmes (y a-t-il équivoque ?) [25], et y attache un miroir dans lequel les maris pourront voir qu'ils ont des oreilles de veau. Le second leur recommande d'affubler les maris d'une coiffe féminine, afin de les humilier.

La disposition des scènes principales ne diffère pas dans les deux pièces. La première est un peu plus longue : 357 vers contre 304. Plusieurs coïncidences textuelles peuvent être relevées : QT, v. 34 « Elle va jouer », JF, v. 1 « Ma femme va jouer » ; QT, vv. 33-35 « C'est ce qui fait la preude femme... Foy que [je] doy vertu mon ame », JF, vv. 7-8 « Ou est ta bonne preude femme ? Je me doute et croy, par mon ame » ; QT, v. 36 « Si ne fus jamais cocu », JF, v. 16 « Je me doubte d'estre cocu » ; QT, vv. 61-33 « On fait souvent bonnes cheres, Mais c'est sans pencer a malice, Quant on est avec ses comperes », JF, vv. 30-32 « Ils sont allees a la feste Voir leurs cousins et comperes. Helas ! qu'ils font de bonnes chères... » ; QT, v. 126 « Par bieu, nous les ferons infames », JF, v. 115 « Par bieu, tu es bien infame » ; QT, vv. 262-263 «... revecy noz bourgeoises — Ce ne sera pas dont sans noises », JF, vv. 229-230 « venez ça, venez, mes bourgeoises ; Ces hommes vous font tousjours noises » ; QT, v. 348 «... nos queues sont honnestes » (bestes : gestes : testes), JF, vv. 301-302 « La chose n'est pas fort honneste D'avoir coiffes sur la teste ».

Quelle est la filiation entre les deux textes ? Ils ne semblent pas dériver l'un de l'autre. Connus seulement par des impressions tardives, ils pourraient remonter à un prototype commun. Le détail du costume qui a donné le titre à la première pièce situerait ce prototype vers la fin du XVe siècle et, au plus tard, au début du XVIe. L'apogée de la mode des longues queues est aux environs de 1490. Elles ne dépassent pas le règne de Louis XII [26]. N'empêche que leur souvenir a duré longtemps. Encore dans le *Traité sur la superfluité des habits des dames de Paris*, écrit vers 1540 [27], on recommande :

> ... tes queues couperas
> j'entens des cottes seulement ... [28]

A côté des queues, la farce mentionne à plusieurs reprises le chaperon comme une nouveauté à la mode, ce qui fait penser également à la fin

---

[25] Une chambrière de mœurs peu farouches est appelée Troussetaqueue dans la farce des *Chambrières* (ATF, t. II, pp. 435-447).

[26] QUICHERAT, *Histoire du costume*, pp. 283 ss.

[27] Cf. la note d'A. DE MONTAIGLON, *Anc. poés. fr.*, t. VIII, p. 304. Ajoutons encore que dans la pièce il est question de la vertugale qui apparaît sous François Ier, et dont on ne connaît pas d'exemple avant Gargantua.

[28] *Ibid.*, p. 293.

du XVe et aux premières années du XVIe siècle [29]. Il est cependant possible
que les chaperons soient introduits dans notre texte par un remanieur,
comme l'indiquerait la confusion aux vv. 199-202 :

> Ils nous ont juré grans sermens,
> Quant au regard des chapperons,
> C'est la maniere de maintenant,
> Que noz queues ilz coupperont.

Un autre détail qui ferait croire à un remaniement, c'est l'attitude
de Me Aliboron au sujet des longues queues. On sait que la sottie des *Sots
qui corrigent le Magnificat* présente Me Aliboron plutôt comme un ennemi
de cette mode. Cette sottie est datée par Mlle DROZ d'avant 1488 [30] et
E. PHILIPOT en signale une représentation en Bretagne en 1455 [31] (évidemment on ne sait rien du rôle qu'avait pu y jouer Me Aliboron). Il semble
donc que le remanieur, si remanieur il y a, ait confondu deux traditions :
une connexion vaguement connue de Me Aliboron avec la mode des queues
et la complaisance habituelle des charlatans envers les dames.

La farce ne comporte pas de coïncidences visibles avec les *Dits de Me
Aliboron qui de tout se mêle*, entre autres de « triacle esprouver ». Mais
il n'est point exclu que l'auteur ait connu le monologue, composé peu
après 1495. Son personnage en est plus proche que du « corrigeur de Magnificat » [32] de la sottie.

La farce de *Deux jeunes femmes qui coiffèrent leurs maris par le conseil
de Me Antitus* est généralement datée de 1510-1520, à cause de la mort
en 1506 de l'ancien chapelain du duc de Bourgogne [33]. Elle pourrait être
plus tardive. En réalité, la date ci-dessus n'est que le début de la brillante
carrière littéraire de Me Antitus qui tient davantage de la légende que de
l'histoire.

Bien que la popularité des deux personnages continue jusqu'au XVIIe
siècle, il est clair que Me Antitus était une gloire plus récente que Me Aliboron. Sa substitution à ce dernier redonnait donc de l'actualité au sujet.
Renouvellement d'autant plus nécessaire que les longues queues — point

---

[29] Rappelons les paroles souvent citées d'Olivier DE LA MARCHE sur les « chaperons
du temps présent » qu'il préfère aux hauts atours. Voir aussi QUICHERAT, *Histoire du
costume*, pp. 309 ss.

[30] *Trep.* I, p. 186.

[31] *Six farces*, p. 45, n. 2.

[32] Pour « corriger le Magnificat » qui veut dire 'faire des observations qui ne convien-
nent pas au temps et au lieu', voir Mlle DROZ, *Trep.* I, p. 184 et la littérature y indiquée.
L'expression figure encore dans *le Dictionnaire comique* de Ph. LE ROUX de 1752.

[33] Proposée dans *Picot-Nyrop*, p. LII, la date de la farce a été admise par d'autres.

de départ de la pièce — étaient passées de mode. Cependant les expressions
« traisner » et « decrotter les queues » qui reviennent à plusieurs reprises
dans *les Deux jeunes femmes* n'y ont peut-être qu'un sens figuré. Cf. les
paroles du Sot dans la farce du *Pauvre Jouhan* : « Jehan netoye la robe
De sa femme qu'est crotee... sang bieu ! quel trainee ! » [34] (*Trep.* I, n° VII,
vv. 109-114)

Une confusion involontaire de l'auteur confirmerait la supposition que
la farce de *Deux jeunes femmes* dérive de la même source que celle des
Queues troussées. Il y est question d'un « appoticaire... Qui se nomme
maistre Frappart » et s'élève dans ses « sermons » contre les longues queues.
On sait que Me Frappart, ou plutôt frère Frappart, était le sobriquet des
moines débauchés. Il n'est pas impossible que l'on ait ici un croisement
de deux versions. L'une des femmes de la farce des *Queues troussées* parle
d'un bon vivant qui l'avait invitée à venir le voir. D'autre part, le maître
apothicaire qui fulmine contre les queues ne serait-il pas une réminiscence
d'un Me Aliboron plus traditionnel, tel p. ex. qu'on le trouve dans la sottie
des *Sots qui corrigent le Magnificat* ? Quoi qu'il en soit, les versions que
nous possédons des deux pièces, contenant de nombreux passages mutilés
ou altérés, ne sont guère anciennes.

Il en est de même des deux autres pièces à schéma $(2 \times 2 + 1)$ — *les
Femmes qui font refondre leurs maris* et sa réplique à rebours, *les Hommes
qui font saler leurs femmes*. La trame essentielle en est identique : deux
femmes (hommes) cherchent à transformer à leur goût leurs maris (femmes)
avec le secours d'un fondeur de cloches (charlatan). L'opération réussit,
mais donne des résultats déplorables pour celles (ceux) qui l'avaient voulue.
Cependant le factotum ne peut plus défaire son œuvre. D'où une leçon
de patience pour les couples mal assortis. Dans la première pièce, c'est
le fondeur de cloches qui recommande aux femmes : « Prenez patience
et souffrez », dans la deuxième, les maris concluent eux-mêmes : « Il nous
faut endurer Sans aucunement murmurer ». Là s'arrêtent les rapproche-
ments et rien n'indique une dépendance directe.

La version masculine est plus réaliste et plus littéraire à la fois. La
métamorphose des femmes n'a rien de miraculeux, elle est plutôt d'ordre
psychologique. Les personnages sont moins grossiers, les choses ne sont
pas appelées par leur nom. Cette version paraît assez tardive et ne doit
pas être sensiblement antérieure à la première édition de la pièce (1582).

---

[34] Sur le sens de *trainée* dans cet exemple, voir P. BARBIER, *Nouvelles études de
lexicologie française*, RPh IX (1955/56), p. 10.

La version féminine, imprimée avant 1550[35], ne contient pas d'éléments de datation suffisants. On y mentionne plusieurs fois les ducats comme une devise très forte, ce qui concorderait surtout avec la dernière décade du règne de François Ier [36]. D'autre part, le texte primitif a dû porter la rime stéréotypée *besogne* : *quelogne* (corrigé en *quenouille*). Or, en imprimant vers 1540 les pièces qui font partie du recueil publié par G. Cohen, les éditeurs ont fait trois fois la même substitution, une seule fois la rime a été conservée (dans *la Farce de la femme à qui on baille un clystère*) [37]. L'hésitation prouve que le mot était déjà suranné. On ne peut donc faire descendre la composition de la pièce au-dessous de cette date.

Les pièces à schéma $(2 \times 2 + 1)$ peuvent-elles être déduites des modèles à schéma $(2 + 1)$? Nous ne pouvons guère alléguer deux textes qui présenteraient un rapport comparable à celui qui relie la farce de *l'Aventureux et Guermousset* à celle de *Colin fils de Thevot*, ou bien la farce du *Poulier à six personnages* à celle du *Poulier à quatre personnages*. Les thèmes qui reviennent, comme le prétexte de se rendre à l'église invoqué pour dissimuler un rendez-vous d'amour (*La femme à qui on baille un clystère* et les deux versions des femmes à « queues »), le refus de la femme d'aider le mari dans l'exercice de son métier (*Les femmes qui font refondre leurs maris, La femme à qui on baille un clystère*), etc. sont des lieux communs. Le thème du rajeunissement opéré par un charlatan est plus rare. En dehors de la farce des femmes qui font refondre leurs maris, on le voit combiné avec celui de la « Fontaine de jouvence » dans la farce du *Vieillard, de la femme et du peintre*. Mais il est évident que ces deux pièces sont indépendantes l'une de l'autre.

Le thème commun à presque toutes ces farces c'est l'attitude de l'homme à tout faire à l'égard des femmes. Paradoxalement, c'est ce thème banal qui suggère un redoublement. En effet, qu'il ait affaire à une ou à deux femmes, la manière d'agir de l'homme est strictement identique. Elle est, parfois, d'une indécence poussée à l'extrême qui, bien que la farce nous ait habitués à toutes les audaces, ne laisse pas de surprendre.

Une autre preuve du redoublement est fournie par la fonction du deuxième couple dans la structure dramatique de la farce. Seul l'auteur de la farce des femmes qui font refondre leurs maris, doué d'un certain

---

[35] Voir la bibliographie établie par Mlle DROZ, *Trep.* I, p. LIV.

[36] BLANCHET et DIEUDONNÉ, *Manuel de numismatique*, t. IV, pp. 54 s.

[37] Sur quelques procédés de rajeunissement appliqués par les éditeurs du XVIe siècle voir Graham A. RUNNALS, *A newly discovered fourteenth-century French play* ? *Le Mystère de Saint Christophle*, RPh, 1970/1971, pp. 464 ss.

sens du théâtre, a su se servir de la symétrie comique des dialogues entre époux. Il a même eu l'idée de rendre l'un des maris de vingt ans plus âgé que l'autre, mais n'en a tiré qu'un faible profit. D'autre part, l'adjonction du deuxième couple est chez lui, en un sens, plus mécanique qu'ailleurs : il fait alterner les scènes entre mari et femme, sans jamais confronter les deux couples. L'intrigue de sa pièce reste très rudimentaire. Dans les autres farces à cinq personnages, la présence du deuxième couple a encore moins de raison d'être. Elle n'occasionne point de répétitions plaisantes, qui pourtant ne sont pas étrangères au théâtre [38]. On ne voit aucune différence de condition entre les deux couples, comme c'est le cas p. ex. dans la farce du *Gentilhomme et de Naudet.* Les auteurs n'essaient pas plus de différencier leurs caractères ne serait-ce que d'une manière aussi primitive que dans la farce du *Savetier, Marguet, Jaquet, Proserpine et l'hôte* ou dans celle des *Deux hommes et leurs deux femmes.* Le deuxième couple est une réplique pure et simple du premier. Il constitue tout au plus un ressort dramatique supplémentaire qui permet de rendre plus théâtrale l'anecdote narrative, facilite l'exposition et la liaison entre les épisodes, fait varier les dialogues. L'intrigue n'est pas plus compliquée que dans les pièces à un couple. On est loin de l'imbroglio des comédies de la Renaissance.

Tout ceci porte à croire que le schéma $(2 \times 2 + 1)$ est secondaire par rapport à $(2 + 1)$. Bien que les deux types aient coexisté (cf. *Colin fils de Thévot* et l'*Aventureux et Guermouset*, attribués par PHILIPOT à un même auteur), à mesure qu'on avance dans le XVIe siècle, les pièces à deux couples deviennent plus fréquentes, tandis que les pièces à schéma $2 + 1$ semblent se raréfier. Celles que nous avons citées sont difficiles à dater. Emile PICOT avait conjecturé que la *Fontaine de jouvence* était de 1525-1530 [39] ; PHILIPOT la croyait antérieure [40]. On a hésité également pour la farce du *Chaud-ronnier.* FOURNIER, dans son Recueil, la datait à tout hasard du règne de François Ier. WIEDENHOFEN pensait qu'elle était du début du XVIe siècle à cause des paroles « je gaigne (= gage) deux patars » [41]. Cependant le texte est, à n'en pas douter, picard comme l'indiquent les rimes *follye* : *empeschye* ; *yeulx* : *oustieulx* ; *a my* : *amy* ; *noz* mis pour *nostre*, *voz* pour *vostre* ; *damoyselle de Haudin* c.-à-d. de Hesdin (: *grain*), etc. Et il est connu qu'en Picardie le patart a eu cours longtemps avant et après cette période [42].

---

[38] Cependant il s'agit plutôt de répétitions et d'oppositions verbales, voir R. GARAPON, *ouvrage cité*, pp. 72 ss.

[39] Dans son introduction à l'édition indiquée ci-dessus.

[40] *Trois farces*, p. 44, n. 5.

[41] *Entwicklungsgeschichte der franz. Farce*, p. 46.

[42] BLANCHET et DIEUDONNÉ, t. IV, pp. 191-192.

La pièce trahit un contact, bien superficiel du reste, avec l'italien et ne saurait être antérieure aux guerres d'Italie. La farce de *la Femme à qui on baille un clystère* ne renferme aucun élément de datation. On y voit des amusements verbaux sur le radical de *fol* et sur celui de *chagrin* (cf. le nom de Trubert Chagrinas, etc.). Les allitérations de ce genre étaient spécialement répandues à la fin du XVᵉ siècle [43], mais elles se rencontrent aussi plus tard.

D'une façon plus générale les pièces à trois personnages où l'on n'a que l'éternel trio — le mari, la femme et l'amoureux — et dont nos farces ne sont qu'un cas particulier, paraissent moins fréquentes à partir de 1520-1530. Elles font entièrement défaut parmi les textes du *Recueil La Vallière* qui, dans l'ensemble, ne remontent pas au-delà de cette époque. Il semble donc que lorsque l'ancienne matière comique commence à s'épuiser, les auteurs de farces cherchent un renouvellement du genre à travers la complication de sa facture dramatique. Un des moyens utilisés est de multiplier le nombre des acteurs du drame. C'est ainsi que le personnage inspiré des monologues, à qui on avait d'abord ajouté un sosie, est de plus en plus combiné avec deux, trois personnes (cf. *le Vendeur de livres et deux commères*, puis *le Vendeur de livres et trois commères* [44]), etc. À la combinaison avec un couple, on préfère la combinaison avec deux couples, sans que la situation s'en trouve plus embrouillée.

Le procédé, certes assez primitif, témoigne pourtant d'une tendance à élargir le moule dramatique de la farce. Faut-il y voir un effort de l'adapter à des besoins nouveaux ? Il est peu probable qu'ils se soient fait sentir. En dépit de quelques contacts, dus au séjour de Français en Italie et à celui d'acteurs italiens en France, jusqu'au milieu du XVIᵉ siècle le théâtre italien est resté peu connu de ce côté des monts [45]. Il en a été de même de la comédie antique. Plaute et Térence n'avaient point cessé d'être cultivés dans les écoles, mais un vrai regain d'intérêt pour eux n'est venu d'Italie que vers la même date. Du reste, même plus tard, la comédie de la Renaissance ne devait point tuer la vieille farce [46].

---

[43] La sottie des *Coppieurs et lardeurs* (*Trep*. I, n° VIII) est entièrement basée sur des jeux de mots de ce genre. Des variations sur le radical de *fol* ouvrent les *Vigiles Triboulet*, n° X du même *Recueil*. Ces deux sotties sont datées par Mˡˡᵉ Droz des environs de 1480.

[44] Pour la chronologie relative de ces pièces, voir E. Philipot, *Six farces*, pp. 16 ss.

[45] Cf. Raymond Lebègue, *La comédie italienne en France*, RLC, 1950/1, pp. 8 ss.

[46] Voir la deuxième partie de l'ouvrage de B. C. Bowen, *Les caractéristiques de la farce*.

2. HISTOIRE D'UN THÈME DRAMATIQUE : «L'ENFANT MIS AUX ÉCOLES »

Plusieurs recherches dédiées à des farces ayant pour sujet l'instruction d'un jeune imbécile destiné à devenir prêtre [1] nous permettent aujourd'hui de reconstituer l'histoire de ce thème et de ses diverses variantes. Celle-ci n'intéresse pas seulement le théâtre. Bien avant de paraître sur les tréteaux, « l'enfant mis aux écoles » [2] est connu du folklore et de la littérature narrative de nombreux pays [3]. Il s'y maintient jusqu'à l'époque moderne, longtemps après avoir été abandonné par les auteurs dramatiques.

Dans le théâtre français le thème de « l'enfant mis aux écoles » semble attesté pour la première fois par le fragment du *Vilain et de son fils Jacob* [4]. Ce texte, qui compte 85 vers, manque du début et, malheureusement, aussi de la fin ou plutôt de la scène qui forme le noyau des autres farces de ce type. On y voit d'habitude la niaiserie du garçon, qui n'est qu'un âne présomptueux, incapable d'apprendre les rudiments du savoir et un magister ou maître d'école, aussi cupide qu'ignorant, dont l'enseignement ne vaut guère et peut même avoir des effets nuisibles.

Le fragment conservé montre un père qui s'obstine à faire de son grand bêta de fils un « clerc excellant » (v. 82) ; comme les autres parents, il ambitionne pour lui les plus hautes dignités ecclésiastiques et l'a fait déjà inscrire « ou role De quoy on fait les cardinaulx » (vv. 63-64). Mais le lourdaud ne veut pas devenir « cleribus » et préfère continuer à « garder les pors » (v. 66). Il oppose à son père une résistance physique et a d'abord

---

[1] H. LEWICKA, *Deux intermèdes scolaires polonais du XVIᵉ siècle* (*Contribution à l'histoire d'un thème dramatique*) in *Mélanges d'histoire littéraire offerts à Raymond Lebègue*, Paris 1969, pp. 155-161, et *La pédagogie par l'exemple concret : un thème de farce et de littérature narrative*, à paraître dans les *Mélanges Félix Lecoy* ; voir aussi E. DROZ et H. LEWICKA, *Recueil Trepperel*, t. II : *Les Farces*, notice introductoire au n° VI. Les excellentes pages consacrées à ce thème par E. PHILIPOT dans *Trois farces*, pp. 61 ss. et *Six farces*, pp. 197 ss. nous ont été de la plus grande utilité.]

[2] Ce titre a été donné par A. DE MONTAIGLON dans son édition du *Vilain et de son fils Jacob* in *le Chasseur bibliographe*, sept. 1862, pp. 5 ss.

[3] Cf. AaTh, nᵒˢ 1628, 1641 C, 1810.

[4] Récemment édité par D. W. TAPPAN et S. N. CARRINGTON, *Deux pièces comiques du manuscrit B. N. fr 904* in *Romania* XCI (1970), pp. 161 ss.

le dessus. Cependant celui-ci sait le persuader, en mettant dans son sac une bouteille, du fromage, des pommes et autres provisions. Le fils promet de rester à l'école « tandis que le sac durera » (v. 85).

La farce est datée par ses éditeurs récents du milieu du XVᵉ siècle [5]. Elle serait ainsi la plus ancienne des versions dramatiques du thème. Cependant ce n'est pas tant la chronologie qui compte : les pièces tardives ne sont souvent que des remaniements qui n'apportent rien de nouveau à la matière initiale. Tel est le cas de la farce de *la Mère, le compère, Jouart et l'écolier* [6], qui, en dépit du redoublement du couple parent-fils, se réduit au fond à la donnée du *Vilain et de Jacob*. Jouart, exhorté par son parrain à suivre l'exemple de son frère, étudiant à Paris, répond en débitant des bêtises, comme : « faut il pas un porte colle Pour me monstrer ma leçon ? » (p. 7). En réalité, de même que Jacob, il ne tient qu'à boire et à manger et « ne veut parvenir A plus de biens qu'il a a ceste heure » (p. 19). À la fin, il se décidera à partir et quittera sans regret la mère qui l'adore.

Le fait est — et c'est ce qui importe surtout — que la farce du *Vilain et de Jacob* est aussi la plus primitive du genre. Plus d'un trait la rapproche des anecdotes scolaires du Moyen Âge et de la Renaissance. L'attitude réticente du garçon qui ne tient pas à changer sa condition et un père prêt à tout faire pour donner de l'instruction à son enfant se retrouvent, entre autres, dans quelques histoires des *Jests of Scogin*, réunies sous le titre de « How a Husbandman put his sonne to a schoole with Scogin » [7]. Les *Jests*, probablement non antérieurs à 1532 [8], puisent, comme toutes les collections semblables, dans la tradition narrative. Il en est de même du recueil, encore plus récent, des *Facéties polonaises* [9], essentiellement basé sur des conteurs italiens ou allemands [10], eux-mêmes redevables à d'autres sources. Or l'anecdote CLXII de ce dernier recueil se recouvre exactement avec *le Vilain et son fils Jacob*. A peine ébauché, le sujet a été développé ensuite dans l'intermède de *Laurent à l'école et de l'école* [11]. Une autre

---

[5] Les arguments avancés — la langue du texte et l'intrigue de la pièce — ne paraissent pas convaincants.

[6] *Collection Montaran*, n° 9.

[7] W. C. HAZLITT, *Shakespeare Jest-books*, London 1964, t. II, pp. 63 s.

[8] Date de la première édition connue des *Jests*, confectionnée par Andrew Boorde qui pourrait en être aussi l'auteur.

[9] L'édition princeps, probablement des environs de 1570, ne s'est pas conservée. Celle de 1624 a été publiée par A. BRÜCKNER, *Facecje polskie z r. 1624*, Kraków 1903.

[10] Voir A. BRÜCKNER, Introduction à l'édition citée et J. KRZYŻANOWSKI, *Paralele* (Études comparées de littérature et de folklore), Warszawa 1961, pp. 104 s.

[11] *O Wawrzku do szkoły i ze szkoły*. Voir notre article *Deux intermèdes ...*, p. 158 ss.

pièce polonaise du XVIᵉ siècle présentant quelque affinité avec *Pernet qui va à l'école* (voir ci-dessous), comme l'indique son titre latin — *Pater, Magister et Filius* [12] — fait également intervenir le père du jeune villageois.

Par contre, les auteurs dramatiques français attribuent généralement ce rôle à la mère. Seul Raoullet, de la farce de *Mᵉ Mimin étudiant*, fait exception à la règle. Cependant, si c'est à lui qu'incombe la responsabilité d'avoir envoyé et tenu à l'école l'imbécile sur qui ce séjour aura eu des effets désastreux, sa place dans le déroulement de l'action théâtrale est plutôt effacée à côté de celle de sa femme, Lubine.

Telle qu'elle se présente dans plusieurs pièces françaises, plus ou moins apparentées entre elles, cette mère ressemble comme deux gouttes d'eau aux pères de la littérature narrative. Simple, mais pleine de bon sens, tout en admirant les connaissances de son cher enfant, qu'elle juge digne d'être évêque sinon pape, elle ne se fait pas trop d'illusions sur sa valeur humaine. Elle craint aussi qu'à force de se remplir de science « puis la teste jusques au[x] talons » (*Jehan Jenin, vrai prophète, Trep.* II, n° VI, v. 9), il ne devienne « matelineux ou yvre » (*L'Examinateur*, ATF II, p. 375). Le langage savoureux de la mère, dans lequel les dialectismes [13] voisinent avec des mots savants déformés (*pidagogue, astrilogue, dieutrine*, v. 78, 79, 347 de *Mᵉ Mimin étudiant*; *trologie, docqueteurs, genialogie*, v. 12, 13, 89, 96, etc. de *Jehan Jenin*) [14], forme un contraste amusant avec le latin de cuisine de l'écolier et du maître.

Ce latin, dont le degré de corruption varie selon la pièce et le personnage, a partout une fonction similaire. Il doit faire rire par ses barbarismes ceux qui ont quelques lettres, mais peut aisément être compris de tout le monde [15]. Souvent aussi il s'accompagne de jeux de mots et d'associations phonétiques scabreuses [16].

La satire de l'enseignement scolaire, encore que modeste, n'épargne

---

[12] *Ibid.*, pp. 155 ss.

[13] Le patois de la mère villageoise est un élément consubstanciel au thème, cf. le parler manceau de « la bonne femme qui vouloit faire son filz prestre » de la nouvelle XV de Des Périers qui, d'ailleurs, n'a pas grand-chose à voir avec les versions qui nous intéressent ici.

[14] Certaines déformations comme *merdecine* ou *entrepeter* pour *interpréter* (*Jehan Jenin*, respectivement v. 12 et v. 57, 203), ne sont évidemment pas fortuites.

[15] Une bonne analyse de ce latin a été donnée par Philipot, *Trois farces*, pp. 90 ss.

[16] Dans un intermède polono-ruthène, *Colonus et Studiosus*, publié par A. Brückner in *Archiv für slavische Philologie XIII* (1891), pp. 231 ss., le père paysan assimile le latin à son patois ruthène, p. ex. *caligo spinosa* égale « kołem po spinie » ce qui veut dire « des coups de bâton sur le dos », etc.

pas les méthodes éducatives. Le plus souvent le maître recourt au moyen
pédagogique éprouvé — les coups. De même que le père de *Laurent à l'école*
ou celui de l'intermède polono-ruthène (cité ci-dessus, n. 16), mère Lubine
en est révoltée et lui retire son enfant :

> Ilz sont des maistres si pervers
> Qu'i batent leurs clercs pour un vers.
> Vous l'avez trop tenu soubz verge.
> Vous ne l'aurez plus.
>
> (*Me Mimin étudiant*, éd. *Trois farces*, vv. 204-207)

Il n'en est pas autrement dans l'histoire n° 43 des *Schildbürger*, compilation
allemande de la fin du XVIe siècle [17]. Un bourgeois y « mène son fils à
l'école, après avoir acheté une paire de chaussures et ce qui s'ensuit ».
Pendant qu'il parle avec le proviseur, une porte entrebâillée lui permet
de voir un écolier en train d'être battu à coups de verge. Epouvanté, il
décide que son fils « ne doit point être si instruit ni si versé ; l'espèce en
périrait ».

Le fond anecdotique commun qu'on vient de décrire, combiné avec
divers motifs accessoires, a donné naissance à plusieurs cycles dramatiques
français.

Le plus proche du schéma narratif est celui dont la tête de ligne est
la farce de *la Mère, du fils et de l'examinateur* ou « d'un qui se fait examiner
pour estre prebstre » [18]. Ses trois protagonistes sont stéréotypés. La mère
« pense qu'au monde il n'y a Homme plus scavant » (p. 380) que son fils
qui barragouine le latin et sait chanter le « per omnia ». Elle lui donne
une plume et une écritoire, afin qu'il écrive « droict comme un pape »
(p. 382), puis le mène vers l'examinateur. Pour montrer son grand savoir,
le nigaud, qui se voit déjà chanter « Sa première messe » (v. 383) fait un
étalage de latin de cuisine dont voici un échantillon :

> Ego vultis, par sainct Copin,
> Ecce desja librus meus
>
> (ATF II, p. 386)

L'examinateur, qui ne semble pas trop instruit, mais est plus intelligent
que la plupart de ses congénères, a vite fait de juger et de renvoyer ce
candidat à la prêtrise malencontreux. L'examen se termine sur un jeu de
mots obscène, tiré de la prononciation de *mecum* (rimant avec *Symon*).

Wiedenhofen a proposé de dater *l'Examinateur* des années 1500-1510,

---

[17] Paru d'abord en 1597 sous le titre de *Lalebuch*. Voir l'édition de K. v. Bahder,
Das Lalebuch mit den Abweichungen der Schildbürger, Halle 1914.
[18] ATF II, pp. 373 ss.

à cause de la mention de Jaquet Hurel qu'il identifiait avec Jacques Hurault, général des finances et gouverneur de Blois, mort en 1517[19]. Puisque c'est un aspirant aux bénéfices ecclésiastiques qui désire devenir comme Jaquet Hurel « homme de renom » (p. 374), il est plus plausible de voir en celui-ci un autre Jacques Hurault, fils du précédent, évêque d'Autun depuis 1505[20]. Ceci confirmerait d'ailleurs la date avancée par WIEDEN-HOFEN.

La farce de *l'Examinateur* a été reprise dans *Pernet qui va à l'école*. Cette pièce lui emprunte des passages entiers et en forme en quelque sorte la suite, contrairement à ce qu'en disait A. DE MONTAIGLON qui, dans son édition de l'*Ancien théâtre français*, a imprimé d'abord *Pernet*, en intervertissant l'ordre du recueil original. En effet, la farce de *Pernet* se refère expressément à *l'Examinateur* : l'imbécile y possède déjà son écritoire ; il rappelle à sa mère :

> N'avez vous pas une fois dict
> Que me voulez faire evesque?
>
> (p. 364)

Or, la mère de celui « qui se fait examiner pour être prêtre » annonce bien qu' « il sera evesque » (p. 380). Enfin, il est question d'un autel préparé par Pernet, ce qui est plus compréhensible quand on connaît *l'Examinateur* qui contient des précisions à ce sujet.

La valeur littéraire de *Pernet qui va à l'école* est aussi bien inférieure à celle de son modèle. Du reste, le remanieur ne recherchait guère l'originalité ; il s'est contenté d'ajouter à *l'Examinateur* l'apprentissage des lettres de l'alphabet et les quiproquos qu'il occasionne — motif qui n'est pas plus inédit. Ainsi Scogin met neuf jours pour enseigner à un élève idiot les neuf premières lettres de l'alphabet et le protagoniste d'un recueil narratif allemand, Peter Leu, qui « lorsqu'il eut trente ans alla pour la première fois à l'école » pour y apprendre son ABC, se fait renvoyer pour n'avoir pas compris des recommandations en latin.

Invité à répéter les noms des lettres latines, Pernet les assimile à des mots dialectaux qui lui sont familiers : B égale « bois » dans la prononciation normande, C — « soif », D — « doigt », K — « chat », N — « âne », etc. Les homophonies licencieuses, telles que Q ou l'abréviation de *cum* (rimant comme dans *l'Examinateur* avec *Symon*) ne sont pas oubliées.

La farce de *Pernet à l'école* ne contient pas d'éléments de datation.

---

[19] A. WIEDENHOFEN, *Die Entwicklungsgeschichte der französischen Farce*, Münster 1913, p. 37.

[20] Sur la famille des Hurault, voir la note d'E. PICOT, *Rec. gén. sotties II*, p. 226.

BENEKE la situait sans preuves suffisantes vers 1525 [21]. Tout ce qu'on peut en dire c'est qu'elle est postérieure à *l'Examinateur*, donc composée probablement après 1510.

Une troisième pièce — *Jehan Jenin, vrai prophète*, qui fait partie du *Rec. Trepperel* et semble dater de 1515 environ [22] — offre des ressemblances visibles avec les farces qu'on vient d'analyser.

Elle n'a que deux personnages : la mère et le fils. En effet, Jehan Jenin n'en est plus à aller chez un maître d'école ; il a déjà étudié les arts, les deux droits, la médecine et est en train de faire la théologie.

Son nom, qui équivaut à *Jean Double* ou *Jean Doublement*, est plus symbolique [23] encore que celui de Mimin signifiant 'niais' [24] ou de Pernet, synonyme de 'sot vaniteux' [25]. En dépit de ses études, il reste enfantin ; comme ses aînés, il s'amuse avec un « jeune oyson » (v. 268) et comprend de travers ce qu'on lui veut. L'auteur utilise là un procédé comique fréquent au théâtre [26] et dans le cycle folklorique de Jean le Sot [27], qui consiste à interpréter faussement une expression figurée ou polysémique. Ainsi le fils de la farce de *l'Examinateur* confond la plume à écrire avec la plume de son oie et Pernet, à qui le maître demande de « rendre » les lettres, lui répond : « Et que vous ay-ge desrobé ? » (p. 365). De même Jehan Jenin que sa mère appelle à répéter la formule testamentaire « Item, je vous laisse », s'étonne : « Ma mere, ou alés-vous ? » (vv. 339-340). Enfin, son magnifique latin vaut bien celui de ses homologues.

Mère Jaquette ne diffère pas plus des autres mères. Elle se pâme d'admiration en voyant les connaissances de son fils qui

> ... a tourné de sa [grand] Bible
> Tous les fueillez bien quatre fois,
> Et si a bien quatre fois les lois.

(vv. 14-16)

---

[21] *Das Repertoir und die Quellen der französischen Farce*, Weimar 1910, p. 32.

[22] Voir *Trep.* II, pp. 64 s.

[23] Sur les valeurs symboliques de *Jean* et de ses combinaisons, voir ci-dessous l'article, « Un prénom spécialisé de l'ancienne farce ».

[24] E. PHILIPOT, *Trois farces*, p. 69.

[25] Sur ce sens voir J. GESSLER, *Encore un complément lexicographique* in *Mélanges offerts à M. Roques*, t. II, 1953, pp. 111-112.

[26] Voir dans ce volume, III, 2 ; cf. aussi Ch. MAZOUER, *Un personnage de la farce médiévale : le naïf*, RHTh 1972, n° 2, p. 148.

[27] A. de FÉLICE, *Un type traditionnel dans une farce française du Moyen Âge. Le personnage de l'Écervelé tel qu'on peut l'expliquer à l'aide du cycle folklorique de Jean le Sot* in *Die Freundesgabe*, Schloss Bentlage bei Rheine 1964, t. I, pp. 94-114, et plus particulièrement pp. 102 ss.

et qui

> ... sait plus [de] trois fois
> Que les docqueteurs de Paris.

(vv. 32-33)

Le lourdaud de la farce de *l'Examinateur*, provenant de la même région normanno-picarde qui, pareillement, « ne fut jamais à Paris » est jugé par sa mère très

> ... [sc]iantifique,
> Il sait toute sa rethorique,
> Courant comme son a b c.

(p. 385)

Dans le cadre du canevas traditionnel l'auteur de *Jehan Jenin* a développé deux motifs, déjà ébauchés ailleurs. D'abord le rêve des futures grandeurs. Ce motif dont la littérature narrative connaît de nombreuses versions, il est vrai pas très approchantes [28], est déjà en germe dans les farces de *l'Examinateur* et de *Pernet*. La mère y a « songé » et « predict » que son fils deviendrait évêque, peut-être a-t-elle pensé d'en faire un pape (voir ci-dessus).

Cependant l'utilisation du motif est différente. En réalité, mère Jaquette est plutôt épouvantée par la manie des grandeurs de Jehan Jenin. Comme celui-ci prétend savoir interpréter les rêves, elle lui en conte plusieurs, dans lesquels il est censé d'abord devenir, tour à tour, curé, chanoine, cardinal et à la fin pape, puis descendre en sens inverse les marches de la hiérarchie ecclésiastique. Ce subterfuge, d'excellente pédagogie, prouve une fois de plus le bon sens de la villageoise.

L'effet de l'opération est immédiat : Jehan Jenin renonce à ses espoirs et décide d'aller dans des pays lointains « prescher La foy catholique aux payens » (vv. 311-312). Avant de partir, il laissera à mère Jaquette ses livres et son chat Perot. Ceci nous vaut un testament comique, genre littéraire alors à la mode, pour ne citer que le *Testament Pathelin*. Cependant, on peut se demander si l'auteur n'a pas été plus particulièrement inspiré par le *Testament maistre Mimin*. Ce texte, malheureusement perdu, figure dans le catalogue du *Vendeur de livres* [29]. La date de la dernière pièce — 1513-1514 [30] — constituant le terminus *ad quem* du *Testament*, autoriserait pareille supposition.

D'autre part, il ne fait pas de doute que l'auteur de *Jehan Jenin* a connu le cycle de maître Mimin et surtout la célèbre farce de *Me Mimin étudiant*

---

[28] MI, M.312.O.1 ; « Dreams of future greatness ».
[29] Ed. *Six farces*, v. 10.
[30] Voir *ibid.*, pp. 20 s.

qui en est la souche. Composée vers 1480-1490 [31], elle a été très populaire
dès le début du XVIᵉ siècle, spécialement en Normandie. Plus qu'aux
autres mères, Jaquette ressemble à la fameuse Lubine.

Son langage abonde en déformations plus ou moins équivoques :

> De trologüe et merdecine
> Il en scet ce qu'il est possible ...
> Il scet ses arts reliberaust
> Et tout au long ses Dandrinaulx [32],
> Ses Princeps [et] ses Bucquenicles [33]
> Et son Chaton [34] et sa musicle ...

(vv. 12-13 et 17-20)

Une intuition infaillible de femme et de mère lui permet, comme à Lubine,
de trouver le bon moyen pour guérir la « folie » de son enfant.

Le cycle de l'*Examinateur* ne semble pas avoir eu d'autres prolongements.
La cause en est sans doute qu'aucun de ses auteurs ne sort de l'ordinaire,
comme c'est le cas pour *Mᵉ Mimin l'étudiant*. Il est vrai que cette pièce
n'est pas non plus si originale qu'on la croirait au premier abord. Une histoire
du « Garçon qui a oublié son langage maternel » est citée par POLÍVKA
parmi les « Schulanekdoten » [35]. Une paysanne, veuve, conduit son fils
chez un maître qui lui enjoint de ne parler pendant huit jours que le latin.
Lorsque la paysanne reprend son fils, celui-ci « sait » le latin, mais a désappris
son patois. Ce n'est que le neuvième jour qu'il se rappellera des mots
comme « cochons », « grange », etc. La mère est toute radieuse de constater
que son fils a cessé d'être savant.

S'il n'est guère probable que l'auteur de la farce ait connu le récit dont

---

[31] Date établie par E. PHILIPOT, *Trois farces*, pp. 61 ss.

[32] Déformation de *Doctrinaux* ou *Doctrinal* d'Alexandre de Villedieu et peut-être
jeu de mots avec *dandin* 'idiot'.

[33] Il s'agit des *Bucoliques* de Virgile. La finale *icle* pour *-ique* était fréquente à l'époque, cf. *musicle* du vers suivant.

[34] Déformation de Caton, due à l'hypercorrection dialectale. Les *Distiques* du pseu-
do Caton de même que le *Donnet* ou grammaire latine d'Aelius Donatus font partie de
tous les programmes scolaires de l'époque. Dans la moralité des *Enfants de Maintenant*, Instruction dit :

> S'ilz veullent scavoir a, b, c,
> Ou le psaultier ou le Donnest,
> Les enseignements Cathonnet

(ATF III, p. 13)

[35] J. POLÍVKA, *Eine alte Schulanekdote und andere Volksgeschichten* in *Zeitschrift
für oesterreichische Volkskunde XI* (1905), p. 160 s.

parle POLÍVKA, on peut présumer qu'une version narrative du sujet lui soit parvenue d'une manière ou d'une autre [36].

Quoi qu'il en soit, il n'a pas fait qu'accrocher au thème de « l'enfant mis aux écoles » un motif supplémentaire, élaboré ailleurs. Il a su en tirer une petite comédie bien tournée, en ajoutant les personnages de Raoul Machue et de la « bru » ou fiancée qui seconde efficacement Lubine dans son œuvre de sauvetage. Elle réapprend à Mᵉ Mimin sa langue maternelle, en lui faisant répéter les paroles d'une chanson d'amour — idée charmante et qui semble du crû de l'auteur.

La farce de *Mᵉ Mimin étudiant* a joui d'un succès mérité. Encore au début du XVIIᵉ siècle, la tragicomédie de *Fanfreluche et Gaudichon* en sera un écho [37]. Entretemps plusieurs auteurs en quête de matière comique utiliseront la vogue de ses personnages. Outre le *Testament* déjà cité, on a eu *Mᵉ Mimin qui va à la guerre*. Cette pièce qui fait partie du *Recueil Cohen* (n° IV) combine notre thème avec celui du soldat fanfaron. On y trouve Mᵉ Mimin « atout sa grant escriptoire » et parlant un langage macaronique, mère Lubine — Raoulet est à peine mentionné — et trois aventuriers sans feu ni lieu. A nouveau mère Lubine sauve du danger son enfant qui a failli les suivre : elle se met à corner de toutes ses forces et fait fuir les faux braves qui se croient assaillis par toute une armée.

La pièce est difficile à dater. On y mentionne à deux reprises « Le franc archer du Boys Guillaume » (v. 32 et 139), héros ridicule d'un monologue, aujourd'hui inconnu, mais qui a dû exister avant 1521, date à laquelle il y est fait allusion dans le *Grant Art de Rhetorique* du rouennais P. FABRI [38]. La farce est postérieure au *Testament Mᵉ Mimin*. En effet, au v. 273, Mimin annonce : « Si je meurs, dans mon testament... ». Un *Testament*, dont nous ne sommes pas plus informés, est attribué à une autre « gloire » normande — Thévot, qui laissa sa lance à l'un des soudards, le capitaine de Sot Vouloir (vv. 8-9).

Ceci nous mène vers le cycle de Thévot le maire qui présente un amal-

---

[36] Deux contes français indiqués par POLÍVKA (*ibid.*, p. 161 s.), ressemblent moins à notre farce. Dans l'un — *Le faiseur de latin* — le garçon, revenu de l'école, emploie le français comme si c'était du latin: ainsi *dix vers six tasses* = diversitas, etc.; son père comprend et lui donne des ordres dans un langage de même type (cf. ci-dessus, n. 16) ; dans l'autre — *Le latin du village* — le paysan-candidat à la prêtrise, après avoir appris pendant huit jours des bribes de latin, les débite à ses examinateurs ; ceux-ci, ne voulant pas avouer qu'ils ne connaissent pas cette langue, le laissent passer.

[37] Voir B. C. BOWEN, *Caractéristiques essentielles...*, pp. 152-155. Mᵉ *Mimin étudiant* se vérifie même sur la scène actuelle, comme l'ont montré les Théophiliens.

[38] Ed. Ch. HÉRON, t. I, p. 276.

game de motifs analogue à *Me Mimin à la guerre*. De ce cycle on possède actuellement le fragment publié par M. Ch. SAMARAN [39], intitulé *Farce de Thevot a quatre personnages*, et que PHILIPOT, dans sa magistrale étude, date des environs de 1500 [40], le fragment de *Thevot le maire, Perruche, sa femme et Colin, leur fils*, découvert et édité en 1939 par I. MAXWELL, qui est de 1517 [41], et quelques versions de la farce de *Colin, fils de Thevot* [42]. Dans cette dernière on a déjà une annonce du croisement plus amplement développé dans la farce, également normande, de *l'Aventureux et Guermouset, Guillot et Rignot*, qui en est une réplique redoublée.

En effet, les deux fils sont tirés sur le modèle de Colin. Celui-ci, qui a « tant esté a l'escolle » (ATF II, p. 400), a complètement oublié son latin. Devenu militaire, il exerce maintenant son courage contre les volailles des voisins. Guermouset et Rignot, qui aspirent à une même cure et savent dire le « desprofonditz », les « gaudes » et le « grand credo », ne sont pas plus instruits que Colin et les autres candidats à la prêtrise. Voici un fragment de leur dialogue en « latin » :

Guermouset

Or bien donc nous disputeron
Des grans arguments de Paris.
Or dis Rignot, *quis vocarys ?*

Rignot

Quis vocaris ? Pronoment ...

Guermouset

Noment quid est ?

Rignot

Octo.

Guermouset

Quare ?

Rignot

Quia, s'il est bien procuré,
Casy plurali numery ... [43]

Il se peut qu'il y ait là un écho du « Quo nomine vocaris » de la farce de *l'Examinateur* (p. 380).

---

[39] *Romania* LI (1925), p. 199.
[40] *Six farces*, pp. 194-195.
[41] *Humanisme et Renaissance* VI (1939), pp. 539 ss.
[42] ATF II, pp. 338 ss., et *Rec. Cohen*, n° V.
[43] PHILIPOT a essayé d'en donner une interprétation, *Six farces*, pp. 232-233.

Le courage des deux jeunes gens égale leur science. Rignot en a déjà fourni des preuves en tuant

> ... en une mellee
> La poule d'Inde et de Guynee ...

(vv. 69-70)

PHILIPOT date *Colin, fils de Thevot* ainsi que *l'Aventureux et Guermouset* des années 1528-1530. Ceci coïncide avec une époque où, après avoir exploité jusqu'au bout les possibilités du thème de l'enfant mis aux écoles, les auteurs cherchent à le renouveler en le combinant à d'autres thèmes, comme celui du *miles gloriosus*, lui aussi assez usé.

D'autres mélanges visant le même rajeunissement apparaissent plus tardivement. Dans la farce d'un *Mari jaloux*, le jeune villageois qui a failli devenir pape est croisé avec le badin à tout faire des farces conjugales (voir l'article qui suit).

Il nous faut maintenant reculer dans le temps pour parler d'une troisième variante du thème de l'imbécile envoyé à l'école que nous avons appelé ailleurs « la pédagogie par l'exemple concret »[44]. Le motif a eu une large expansion dans la nouvelle et dans le folklore, surtout à partir de la Renaissance et de la Réforme.

Isolé dans la littérature dramatique, il n'apparaît, à notre connaissance, que dans le farce du *Clerc qui fut refusé a estre prebstre pour ce qu'il ne scavoit dire qui estoit le pere des quatre filz Haymon*[45].

A côté de quelques éléments déjà vus, comme le prénom du niais, appelé Jenin, son invraisemblable stupidité et l'ambition de parvenir rapidement « en l'ordre de prestrage », la farce comporte un motif nouveau : la question de l'examinateur nommée dans le titre. Le candidat, à qui l'official pose cette question, en est tout effarouché et va se plaindre auprès de son maître. Pour lui faire comprendre de quoi il s'agit, celui-ci lui donne un exemple analogue, tiré de son entourage : un maréchal, appelé Collard le Fevre qui a quatre fils. L'idiot revient vers l'official et, à la question réitérée « qui est le pere des quatre fils Aymon ? », répond « Collard le Fevre » (vv. 192-193).

Relativement ancienne — nous croyons avoir démontré qu'elle était du début du XVIe siècle[46] — la pièce semble être la première attestation du motif qui nous occupe.

---

[44] Cf. l'article portant ce titre, cité dans la n. 1.
[45] *Rec. Cohen*, n° XI.
[46] Même article.

L'anecdote légèrement modifiée figure dans les *C. Merry Tales* de 1525 [47] et est reprise dans les *Jests* de Scogin [48]. Dans le premier recueil on explique qui est le père des fils de Noé sur l'exemple d'une famille de chiens, dans le deuxième — le père des fils d'Isaac est comparé à un meunier du voisinage.

Tout en se servant de personnages de la Bible à la place des héros légendaires, les anecdotes anglaises sont pour le fond identiques à notre farce. Mais, bien que le théâtre comique français ait été à l'époque connu et même imité en Angleterre [49], il ne semble pas y avoir dépendance directe. Il est bien plus probable qu'on ait affaire à une source narrative commune. En effet, des anecdotes dont le mécanisme fondamental n'est pas différent abondent : le répertoire d'AARNE-THOMPSON les comprend sous les rubriques « Boy answers the priest » et « Jokes about catechism » [50].

Répandues surtout en Europe centrale, ces histoires appartiennent à un autre thème : celui de la confession d'un naïf, vrai ou feint, attesté aussi dans le théâtre comique, cf. entre autres *la Confession Rifflart, la Confession Margot*, etc. [51]

Les diverses versions d'Allemagne, à commencer par les *Libri facetiarum* de H. Bebel (1514-1516), en passant par le *Schimpf und Ernst* de J. Pauli (1522) et en finissant par la *Silva sermonum* de J. Hulsbusch (1568), pour ne nommer que quelques jalons importants, concernent toutes la Sainte Trinité. Si l'exemple explicatif lui-même varie, il est toujours tiré de l'entourage de l'intéressé — le plus souvent il s'agit de sa propre famille — et celui-ci revient après quelque temps vers le prêtre pour lui répondre une deuxième fois. Cependant, plus on avance dans le XVIe siècle, et plus l'anecdote devient agressive. Il ne s'agit plus de railler la méthode d'enseignement par l'*exemplum*, mais aussi de mettre en question les dogmes eux-mêmes. Il en est ainsi des versions polonaises qu'on trouve dans le recueil des *Bons tours* de Nicolas Rey [52], partisan résolu de la Réforme, et dans le n° CLXXX des *Facéties polonaises* [53].

Les explications de la Trinité prétendument données dans la chaire,

---

[47] Ed. W. C. HAZLITT, *Shakespeare Jest-Books*, t. I, pp. 98-99.

[48] *Ibid.*, t. II, pp. 68-69.

[49] Voir I. MAXWELL, *French Farce and John Heywood*, Melbourne-London 1946.

[50] AaTh, respectivement nos 1832 et 1810.

[51] Voir aussi AaTh, 1807 : « The equivocal confession ».

[52] M. Rey, *Figliki*, Ière éd. 1562. L'anecdote en question constitue le n° 177 ; cf. l'édition de J. KRZYŻANOWSKI et M. BOKSZCZANIN, Warszawa 1970, p. 129.

[53] On sait que la Pologne était à l'époque un puissant foyer d'antitrinitarisme.

que rapporte H. Estienne dans son *Apologie pour Hérodote*, sont grossièrement naïves. Les prédicateurs iraient « jusques à en faire comparaison
avec un haut de chausse. Et comment ils l'accomodoyent, j'aurois horreur
de l'escrire combien que je l'aye souvent ouy reciter ». Une autre comparaison disait « qu'en la Trinité il y avoit trois personnes et que toutesfois
ce n'estoit qu'un Dieu tout ainsi qu'un cordelier est tondu comme un fol,
gris comme un loup, lié de corde comme un larron, et toutesfois n'est
qu'un homme » [54].

Les « plaisanteries sur le catéchisme » du folklore moderne (français,
flamand, anglais, slave, oriental, etc.) sont encore plus primitives [55]. Dans
un conte flamand, le prêtre compare les personnages de la Trinité avec
les trois vaches du paysan qui constate que « le Saint Esprit vient de vêler » [56] ; ailleurs le jeune villageois prend Amen pour une quatrième personne de la Trinité [57].

Le sujet du *Clerc qui fut refusé* n'a rien à voir avec les polémiques
religieuses. Composée bien avant les premiers mouvements de la Réforme,
la farce n'était sans doute destinée qu'à faire rire. Cependant, les tendances
polémiques ne sont pas restées étrangères au thème de « l'enfant mis aux
écoles » qui s'y prêtait tout particulièrement.

La satire contre le clergé et l'enseignement ecclésiastique, déjà nette
dans les farces de *l'Examinateur* et de *Jehan Jenin*, devient mordante dans
celle de *la Bouteille* [58] que WIEDENHOFEN, après BENEKE, datait de 1540 [59].

L'intrigue de la pièce est inconsistante : les propos incohérents du
garçon la rapprochent par moments de la sottie. La situation est traditionnelle. La mère qui, d'abord, se dit heureuse d'avoir un enfant qui « s'adonne
a estre sage et bien aprins » (p. 5), change bientôt d'avis en entendant ses
élucubrations sur la structure de la bouteille. Un voisin la console : son
fils peut devenir prêtre, puisque :

Il en est bien d'autres que luy

---

[54] Ed. RISTELHUBER, Paris 1879, t. II, ch. XXXVI, p. 256.

[55] AaTh, *loc. cit.* Il en existe trois types avec quinze sortes de réponses du garçon
au prêtre. Pour le folklore français, voir aussi P. S(ébillot), *Sermons facétieux ou naïfs*,
RTP XV (1900), p. 503.

[56] M. de MEYER, *Les contes populaires de la Flandre*, Helsinki 1921 (FFC, t. 37),
n° 1685 : « Le nigaud » et AaTh, n° 1844.

[57] *Ibid.*, n° 1832 D et MI, X.435.4.

[58] *Rec. Leroux* III, n° 46.

[59] *Op. cit.*, p. 67 ; la date est déduite des allusions à la Réforme, ce qui pourrait
faire remonter la pièce jusqu'à 1525 environ. Le seul point de repère est la mention d'un
« maistre Morellet » qu'on a pas pu identifier.

> Qui ne sayvent ny fa ny my.
> Mais qu'il puisse sa messe dire ...

(pp. 13-14)

Le garçon qui sait bien son « ave salus », son « in manus » et son « Deo pars » (p. 16) est, de son côté, certain de savoir assumer la charge qu'il convoite :

> Par le moyen d'un beau vicaire
> Qui prendra le soin et la cure
> Du benefice et de la cure.
> Voela comme c'est qu'on en use.

(p. 16)

En dépit de l'image dénigrante qu'on donne des prêtres catholiques ou « papillons » (p. 22), la position de l'auteur n'est pas bien claire. Pour finir, il s'insurge contre « l'enseignement nouveau » qui ne profite à personne.

Une autre pièce, *le Maître d'école* [60], bien plus virulente, est dirigée — chose plutôt rare — contre les protestants. Là encore, l'action est mince et ne sert qu'à introduire des attaques contre les réformateurs. Les personnes d'usage — la mère, le maître et trois écoliers — ne sont pas tout à fait conformes à leurs prototypes. Contrairement à ses homologues, la mère se déclare pleinement satisfaite de l'enseignement obtenu par ses enfants qui sont maintenant « clercs... jusque aulx dens » (p. 415). Le maître n'a pas dû apprendre à ses élèves seulement :

> ... Donnest et sens
> Principes et Caton ...

(p. 412)

comme il le dit. En effet, ceux-ci sont bien conscients des problèmes religieux de l'époque, comme le prouvent leurs diatribes contre Luther et ses partisans. La pièce, non datée jusqu'ici, est probablement l'une des dernières productions dans l'ancien goût.

Nous pouvons terminer là-dessus notre revue des versions dramatiques de « l'enfant mis aux écoles » [61]. La conclusion qui s'en dégage est qu'elles doivent beaucoup à la littérature narrative. Ceci n'enlève rien à la valeur artistique de telle ou telle autre pièce. On sait que plusieurs farces françaises et non des moins bonnes, comme *le Meunier et le Gentilhomme, Colin qui*

---

[60] *Rec. Fournier*, pp. 412 ss.

[61] La rédaction définitive de cette étude était terminée au moment de la parution de l'excellent article de Ch. MAZOUER (cité ci-dessus, n. 26) qui examine l'emploi théâtral du « naïf » et les diverses situations dramatiques — partiellement les mêmes dont nous avons parlé — où il se manifeste.

loue et dépite Dieu, le Galant qui a fait le coup, développent des thèmes
narratifs, dont il existe des centaines de variantes, écrites ou orales. L'effet
scénique des récits dramatisés dépend des dons de l'auteur. Si celui-ci est
doué, il peut assurer au thème et aux personnages une longue vie théâtrale
comme celle qui mène de Me Mimin à Thomas Diafoirus.

3. LA FARCE D'UN MARI JALOUX

La farce d'un *Mari jaloux qui veut éprouver sa femme* [1] ne compte pas parmi les meilleures productions de l'ancien répertoire. Non dépourvue d'une certaine verve comique, elle est plate et, par moments, grossière. En dépit de sa complication, son sujet manque d'originalité.

Cependant telle qu'elle est, elle paraît particulièrement caractéristique d'une époque du théâtre français. Époque où la farce dans le goût du Moyen Âge persiste et la comédie de la Renaissance, imitée du théâtre italien [2], est sur le point de s'introduire sur la scène française. On sait d'ailleurs que celle-ci, loin d'évincer la vieille farce s'en laissera plutôt imprégner elle-même [3]. D'autre part, si dans l'ensemble la farce s'épuise, elle n'est pas sans subir quelques tentatives de rajeunissement. Assez superficielles, ces tentatives consistent à augmenter le nombre des acteurs et à rendre plus compliquée l'action de la pièce [4]. Le fond reste inchangé. À peu d'exceptions près — comme *la Cornette* de Jean d'Abondance ou *Robinet Badin* — les auteurs n'inventent guère de sujets nouveaux. Ils se bornent à utiliser autrement les personnages, les situations et les gags traditionnels. Un exemple typique de ce genre de procédés est justement fourni par la farce d'un *Mari jaloux*.

Son examen détaillé permet d'observer la manière d'exploiter quelques thèmes farcesques qui continuent à avoir du succès. L'intrigue résulte de la combinaison de deux données essentielles : 1) « l'enfant mis aux écoles » et 2) « le mari jaloux confondu ». À l'intérieur de ces thèmes on peut identifier d'autres éléments qui se retrouvent ailleurs.

Le thème dramatique du jeune villageois pseudo-savant a été magistralement étudié par Emmanuel PHILIPOT. Nous avons nous-même dédié

---

[1] ATF I, pp. 128-144.

[2] La plupart des comédies du XVIe siècle sont des adaptations de pièces italiennes. C'est l'Italie également qui a fait découvrir le théâtre antique. Voir R. LEBÈGUE, *La comédie italienne en France au XVIe siècle*, RLC XXIV (1950), pp. 5 ss.

[3] Cf. H. C. LANCASTER, *A History of French Dramatic Literature in the Seventeenth Century*, t. I, Baltimore 1929, pp. 19 ss. et, plus récemment, B. C. BOWEN, *Les caractéristiques essentielles...*, pp. 85 ss.

[4] Cf. ci-dessus « Le développement d'un schéma de farce ».

plusieurs recherches à l'histoire de ce thème ainsi qu'à ses rapports avec la tradition narrative, écrite et orale [5].

Rappelons ici les principales pièces en question et leurs dates présumées : le fragment du *Vilain et son fils Jacob* (milieu XVe) ; *Me Mimin l'étudiant* (1480-1490) ; *le Clerc qui fut refusé à être prêtre* (premières années du XVIe siècle) ; *la Mère, le fils et l'examinateur* (1500-1510), imitée dans la farce de *Pernet*, qui lui est postérieure ; *Me Jehan Jenin, vrai prophète* (env. 1515).

Vers 1525 le thème semble tari ; le type de l'écolier imbécile n'est pas pour autant abandonné. On tente de le renouveler en l'amalgamant à celui non moins populaire, du soldat fanfaron. Déjà amorcé dans *Thévot le maire Perruche, sa femme et Colin leur fils*, qui date de 1517, ce croisement est développé dans les farces de *Me Mimin qui va à la guerre*, de *Colin, fils de Thévot*, de *l'Aventureux et Guermouset, Guillot et Rignot*. Toutes ces pièces se situent vers 1528-1530. Comme la plupart des précédentes, elles appartiennent à la Normandie.

À partir de 1530, la vie scénique du bêta pseudo-savant est moins bien connue [6]. On peut supposer qu'ayant donné tous les effets le croisement avec le type du bravache s'est trouvé à son tour vieilli. Un nouveau rajeunissement s'imposait. L'auteur de la farce d'un *Mari jaloux* s'est avisé d'allier le lourdaud du village avec le badin fac-totum des farces qui ont pour sujet la mésentente conjugale. Fait curieux, Colinet garde les traces de sa double provenance : il « sait du latin pleine gamme » et est « hardy comme ung gendarme » (ATF I, p. 129). Dans ses rêves de future grandeur, motif qu'on rencontre aussi dans les farces de « l'enfant mis aux écoles » [7], il se voit tantôt « pape de Romme » (p. 129) et tantôt « seneschal ou connestable Ou gouverneur d'un grant pays » (p. 128).

Sans imiter directement l'une des pièces que nous avons énumérées plus haut, la farce d'un *Mari jaloux* présente des affinités avec certaines d'entre elles. Tout d'abord le prénom du jeune villageois est traditionnel : il est appelé Colin dans le fragment de 1517 et dans la farce de *Colin, fils*

---

[5] Voir l'étude précédente, n. 1.

[6] Il devait survivre jusqu'au XVIIe siècle et trouver une incarnation parfaite en Thomas Diafoirus. Cf. R. LEBÈGUE, *Molière et la farce* in *Cahiers de l'Assoc. des Études françaises*, Mars 1964, p. 196 ; H. C. LANCASTER, *op. cit.*, t. I, p. 145 et B. C. BOWEN, *op. cit.*, pp. 152 ss. ont montré que la tragicomédie de *Fanfreluche et Gaudichon* (1610-1620), en dépit de sa forme et de sa structure dramatique plus modernes, se rattachait au cycle de *Me Mimin étudiant*.

[7] Voir ci-dessus « l'enfant mis aux écoles », n. 28.

de Thevot. Le maire Guillot se trompe à deux reprises en donnant ce même nom à son fils qui s'appelle en réalité Rignot (forme dialectale de Renaud).

Le début de notre pièce est semblable à celui de la farce de *Me Jehan Jenin.* La mère de ce dernier se demande :

> Las, mousieur, maistre Jehan Jenin,
> Mon doulx filz, mon petit musequin...
> Ou est il ? se je le tenoye
> Mon cueur seroit tout consolé.

(Trep. II, vv. 1-5)

et la Tante qui joue un rôle analogue dans la farce d'un *Mari jaloux* s'exclame :

> Et puis, Colinet, mon doulx filz,
> Comment va, mon très cher enfant ?
> Je vous cuidoie avoir perdu.

(ATF I, p. 128)

Les deux imbéciles, de même que le fils de la farce de *l'Examinateur,* se croient destinés à la suprême dignité de l'église. Il est question de « mittres et croces » dans *Jehan Jenin* (v. 229). Colinet dit également :

> J'ay bonne main pour tenir croce
> Et teste assez pour porter mittre.

(p. 131)

Il ne leur manque plus grand-chose pour atteindre leur but : à l'un « Il ne fault que aller a Romme » (v. 258), à l'autre « Il ne reste plus que le tiltre » (p. 131).

Le rapport entre la tante et le neveu ressemble aux relations entre les mères et les enfants des autres pièces. Comme la mère de *l'Examinateur,* qui est prête à donner tout son argent pour faire de son fils un ecclésiastique, la tante du *Mari jaloux* n'a « voulu plaindre » tout son bien à le « tenir en bonne escolle » (p. 130). Colinet, de même que Jehan Jenin, promet de « faire honneur » à celle qui a tout sacrifié pour lui (*Jehan Jenin,* v. 61 et *Mari jaloux,* p. 129). Elle aura des « escus par grant somme... et de bien fringotieux habits » (p. 129). Son portrait sera pendu au mur du futur « palais ».

La tante de la farce d'un *Mari jaloux* est du reste moins stéréotypée qu'ailleurs. Si elle est, comme Perruche du fragment de 1517, « abillee en femme du village », elle ne parle pas le langage savoureux parsemé de dialectismes des autres parents et prononce même des lieux communs sur l'instabilité de Fortune. Elle garde leur bon sens terre-à-terre et ne prend point au sérieux les rêves démesurés de son « cher enfant ». En réalité, elle sait bien que

4*

> Plus mittre ne croce on ne baille
> A nully, sans couster grant somme.

(p. 131)

Cette réflexion sur le trafic des bénéfices produit un effet immédiat sur le pape manqué et entraîne la métamorphose des deux personnages. Du coup, la tante devient la voisine-confidente et Colinet le valet des farces conjugales.

La deuxième partie, plus longue, est mieux conduite que la première, à peine esquissée. Son thème « le mari jaloux puni », non attesté sous cette forme précise [8], résulte de la combinaison d'éléments pour la plupart connus.

La conjonction entre les deux parties de la pièce est fournie par une nouvelle idée de Colinet. Renonçant, sans regret d'ailleurs, à la prêtrise, il va aspirer à :

> ...avoir office
> De recevoir de tous coqus
> Tous les mois deux ou trois escus,
> [Ce] seroit pour faire gros rost...

(p. 131)

L'occasion ne se fait pas attendre. Un couple arrive et on assiste à la scène tant de fois répétée : le mari reproche à la femme de le tromper avec le « chappellain de nostre eglise » et celle-ci, pour toute réponse, l'accable d'injures. Lorsqu'ils se quittent, le mari rencontre Colinet. Le fripon a vite fait de deviner son ennui. Il lui offre ses services en vantant son savoir-faire dans des termes aussi présomptueux qu'il l'avait fait tantôt pour ses connaissances théologiques :

> Je n'ay pas petite science,
> Affin qu'averty en soyez ;
> Car je suis, tel que me voyez,
> Je passe maistre a ce qu'on veult.

Il lui conseille d'aller à Paris et d'y acheter un de ces

> ...gardeculs[9], qu'on mect aux femmes
> Pour oster tous les menus blasmes
> Qu'on pourroit d'eulx dire en commun.

(pp. 136-137)

Le mari décide de suivre le conseil. Avant de partir, il engage Colinet à monter la garde autour de sa maison et de battre le chapelain, si celui-ci venait en son absence. Cependant, chemin faisant, il trouve la tante-voisine à qui il confie, à son tour, ses préoccupations. Pour le rassurer, celle-ci

---

[8] Pour les nombreuses variantes de ce thème consulter MI et Rotunda, Q. 301.

[9] Le mot est inconnu des dictionnaires anciens. GODEFROY, HUGUET, CORBLET et

lui propose de prendre un habit de prêtre et d'éprouver la vertu de sa femme en feignant d'être son amoureux. En effet — écho des farces du villageois envoyé aux écoles — la femme a eu un parent « qui fut d'eglise » et dont elle a hérité [10].

Le travestissement en ecclésiastique qui suit n'est pas isolé dans l'ancien théâtre comique. Le mari de la farce du *Savetier, du moine, de la femme et du portier* [11] et celui de la farce de *Guillod* [12] échangent leurs vêtements avec des moines qui se substituent à eux pour s'introduire auprès de leurs femmes. Dans les deux pièces, les vrais maris triomphent en battant les moines paillards. Une troisième pièce — la farce du *Badin, de la femme et de la chambrière* [13] — présente une situation plus proche de notre farce. Le mari jaloux s'y déguise en prêtre afin de se faire passer pour l'amoureux — messire Maurice — et d'observer le comportement de sa femme. Elle tombe dans le piège, mais prend sa revanche. Travestie à son tour en nonne, elle reçoit la confession du mari, tout à coup mourant, qui lui aussi n'est pas sans avoir péché contre la fidélité conjugale [14].

L'action de la farce d'un *Mari jaloux* est différente. Le mari, oubliant qu'il avait posté en faction Colinet, se fait rouer de coups. Battu et repentant, il se déclare soumis et dit à la femme :

> Faictes tout a vostre [a]bandon,
> Comme il vous plaira desormais.

(p. 144)

Dénouement classique, plus d'un mari du théâtre comique fait de même. Martin de Cambrai, dans la farce de même nom, jaloux à bon escient, mais amené à contrition, assure sa femme de son amour et lui remet les clés de la maison ; elle pourra désormais en user à sa guise.

Les quatre personnages de la deuxième partie sont plus ou moins conventionnels. Le mari, cocu véritable ou en herbe, qui n'a que des velléités de révolte et se laisse facilement dominer, a été tiré à tant d'exemplaires qu'il n'est guère besoin de les rappeler ici. La femme réunit les traits les plus désagréables. Adultère ou disposée à l'être, elle est dure, grincheuse et agressive. Or, l'ancien théâtre ne pardonne qu'aux infidèles ayant un

---

MOISY (il paraît répandu surtout en Picardie et en Normandie) glosent 'jupon' sans autres précisions. On voit mal comment un jupon pourrait empêcher l'adultère ; il semble s'agir plutôt d'une sorte de ceinture de chasteté.

[10] Cf. l'introduction à la farce de *Jehan Jenin*, *Trep.* II, pp. 67 s.

[11] *Rec. Cohen*, n° XXXIII.

[12] BHR XXIII (1961), pp. 78-98.

[13] ATF I, pp. 271-288.

[14] La confession d'un prétendu mourant qui avoue à un faux prêtre son amour

naturel doux [15]. Le prêtre paillard, amoureux traditionnel de la nouvelle
et du théâtre, reste dans la coulisse. La voisine qui, tout en défendant la
femme, offre ses services au mari, est dépourvue de tout scrupule moral ;
elle soutient sans réserve le nouveau « métier » de son neveu. Ce personnage
annonce déjà la femme d'intrigue de la comédie postérieure. Enfin Colinet
est un fripon prêt à toutes les besognes. On peut se demander à quel point
il est conscient de jouer un mauvais tour au mari. En effet, en lui recom-
mandant d'acquérir une ceinture de chasteté, il ajoute non sans malice
qu'on peut

> L'oster quant on va a l'esglise
> Car jamais nul mal on n'y presume.

(p. 138)

Or, l'église était le prétexte classique des femmes en quête d'aventures galantes.
Il continue à battre le mari, alors que celui-ci clame à haute voix qu'il
est le maître de la maison. Ce paysan à peine dégrossi, mais débrouillard
et rusé, a déjà plus d'un trait du *zanni* italien. Le type n'est point rare dans
l'ancien théâtre français qui connaît dès avant la *commedia dell'arte* le
valet fripon, conducteur de l'action [16].

Comme la plupart des textes dramatiques que nous possédons, celui
du *Mari jaloux*, conservé dans le *Recueil de Londres*, porte les marques
d'un remaniement. À deux reprises l'ancien féminin *quel* est remplacé par
quelle, le pronom personnel *je* est ajouté, ce qui rend les vers en question
trop longs [17]. Aussi d'autres vers ne sont pas conformes à la métrique ;
des rimes manquent ou sont fausses : *enfant-perdu* (p. 128), *haulte-feinte*,
au lieu de *faute* (p. 132) ; le schéma de versification est souvent brouillé.

À noter un fait intéressant : la première partie, sauf les dix premiers
vers en rimes plates, présente le schéma des rimes suivant : *aabaabbcbbccd*,
etc., la deuxième est en principe rimée deux par deux, seulement une quin-
zaine de vers présentent un schéma rapproché de la première. Il y a lieu

coupable est fréquente, cf. la farce de *Celui qui se confesse à sa voisine* ou celle du *Pourpoint
rétréci* (*Rec. Cohen*, respectivement, nᵒˢ II et XLIV et MI, J.1545.2 et K.1528).

[15] Cf. la farce en un sens symbolique de *Deux hommes et leurs deux femmes dont
l'une a malle teste et l'autre est tendre du cul*, Picot-Nyrop, n° V.

[16] LANSON se trompait lorsqu'il attribuait — dans son article d'ailleurs excellent —
l'introduction de ce type à la *commedia dell'arte* (*Molière et la farce* in *Revue de Paris*,
1er mai 1901, p. 135). L'inverse, et plus généralement l'influence du théâtre comique
français sur la *commedia*, n'est guère à prendre en considération, voir R .C. D. PERMANN,
The Influence of the Commedia dell'arte on the French Theater before 1640, FS 1955, p. 297.

[17] Traits cités, entre autres, par M. RUNNALS dans un article qui concerne la date
du *Mystère de Saint-Christophle*, RPh, février 1970, pp. 467 ss., comme prouvant le
rajeunissement d'un texte plus ancien.

de se demander si ces schémas différents ne sont pas dus à la versification des sources utilisées par l'auteur. Il se pourrait, en réalité, qu'il ait combiné deux textes primitivement séparés : une pièce sur le thème du fils paysan envoyé aux écoles et une farce conjugale.

La localisation de la pièce corroborerait cette supposition. La deuxième partie n'est probablement pas parisienne, puisque le mari doit aller faire son achat à Paris, cependant sa langue est dépourvue de traits dialectaux. Au contraire, la première partie, comme presque toutes les pièces qui ont pour protagoniste le jeune villageois niais, est certainement normande ainsi que l'indiquent les rimes : *croce* : *reproche, ame* : *royaulme*, des formes comme *scav'ous, encourbis*, etc.

Si, comme nous le croyons, l'auteur a combiné deux textes ou, pour le moins, deux sources, il l'a fait en camouflant assez adroitement les coutures de la pièce. D'autres remanieurs ne se donnaient pas tant de peine : ainsi p. ex. dans la farce des *Femmes qui vendent amourettes* [18], dont le sujet est analogue à celui de *Mahuet Badin qui vend ses œufs au prix du marché* [19], se trouve intercalée une farce conjugale sans aucun rapport avec le reste de la pièce.

La date de la farce d'un *Mari jaloux* est difficile à préciser. BENEKE proposait 1525 [20] pour des raisons qui ne sont guère valables : il y est question de temps nouveaux — formule toujours possible, de gendarme — mais dans l'expression « hardi comme un gendarme », qui n'implique pas une allusion aux compagnies recréées en 1521, de Jenin 'mari trompé' — valeur symbolique usuelle durant tout le XVIe siècle et plus tard [21]. WIEDEN-HOFEN croyait la pièce des environs de 1550 [22], en y décelant l'esprit de la Réforme et un écho du *Tiers livre* de Rabelais. Les deux arguments sont à rejeter. La satire contre le clergé et contre l'enseignement religieux est plus violente dans la plupart des pièces mentionnées, certainement plus anciennes. Quant à l'expression *faire du rumina grobis*, elle est bien antérieure à 1546 : déjà L. SAINÉAN a prouvé qu'elle remontait au XVe siècle [23]. Au XVIe, on la rencontre entre autres dans *le Mystère Saint-Christophle* de Me Chevallet (1530)[24] et dans *le Monologue de Me Hambrelin* (1537).

---

[18] *Rec. Cohen*, n° XXXVIII.

[19] ATF II, pp. 80-89 et *Rec. Cohen*, n° XXXIX.

[20] *Op. cit.*, p. 29.

[21] Voir dans ce volume « Un prénom spécialisé... »

[22] *Op. cit.*, p. 72.

[23] RER IX (1911), pp. 275 ss.

[24] Selon RUNNALS, article cité, le texte de 1530 serait un remaniement d'une pièce remontant au XIVe siècle.

Cependant la date avancée par Wiedenhofen semble assez proche
de la réalité. Mlle Droz a établi que l'imprimé de Londres était sorti des
presses de Pierre Sergent qui avait exercé entre 1532 et 1547 [25]. La composition du texte se situe probablement plus près de la dernière date, du
moins dans sa forme actuelle. L'examen interne de la pièce, l'état de développement du motif de « l'enfant mis aux écoles » — deux greffes de
rajeunissement successives — la tendance à accumuler divers épisodes
comiques et à compliquer ainsi l'action indiquent sans aucun doute qu'on
a affaire à une pièce tardive.

En dépit de ces complications la farce reste bien primitive et, comme
l'a justement remarqué Gustave Attinger, n'offre qu'un semblant d'intrigue [26]. Il serait hasardeux d'y voir un reflet des modèles d'outre-monts
qui pénètrent encore assez faiblement en France [27]. Il s'agit bien plutôt
de l'un de ces essais de renouvellement de la matière comique traditionnelle
dont nous avons parlé au début de cette étude.

---

[25] *Trep.* I, p. L.

[26] G. Attinger, *L'esprit de la commedia dell'arte dans le théâtre français*, Neuchâtel,
1950, p. 78.

[27] Si des acteurs italiens apparaissent ça et là dès les dernières années du XVe siècle,
les représentations des pièces italiennes et les premières traductions françaises ne deviennent plus fréquentes qu'à partir de 1548. La *commedia dell'arte*, née vers le milieu du
XVIe siècle, commence à se propager en France vers 1570, voir R. Lebègue, *La comédie
italienne, loc. cit.*, et l'article cité de R. C. D. Permann, pp. 295 ss.

III. LA LANGUE ET LE COMIQUE VERBAL

1. L'EMPLOI STYLISTIQUE DES DIALECTES DANS LE THÉÂTRE COMIQUE FRANÇAIS DU XVᵉ ET DU DÉBUT DU XVIᵉ SIÈCLE

À l'époque où se situent la plus grande partie des textes du théâtre comique français, au nord de la Loire il n'y a plus, à proprement parler, de littérature en langues régionales. Les travaux bien connus de L. REMACLE et de C. Th. GOSSEN ont d'ailleurs démontré que ces diverses langues régionales n'avaient jamais été du dialecte pur, mais des langues hybrides, dans lesquelles les formes non-dialectales prédominaient de loin [1]. M. GOSSEN situe entre 1470 et 1500 le commencement de la désagrégation définitive de ces *scriptae* régionales [2]. D'autre part, la littérature en patois, destinée à un public local et limitée aux bas genres, ne commence qu'à partir de la deuxième moitié du XVIᵉ siècle. En parlant de cette littérature patoise, M. Maurice PIRON indique que sa naissance n'est pas à confondre avec ce qu'il appelle des « touches dialectales » ou introduction sporadique du dialecte dans des textes antérieurs à cette époque [3]. Ce sont ces touches dialectales et d'autres emplois stylistiques du dialecte qui vont nous occuper ici.

Il faut constater d'abord qu'il n'est pas toujours aisé de distinguer les emplois voulus du patois des dialectismes échappés involontairement à l'auteur. On sait que les principaux centres de production théâtrale étaient alors Paris et Rouen. Un certain nombre de textes proviennent de la Picardie, quelques-uns des autres provinces. L'unification linguistique est généralement très poussée ; les traits de langue ne permettent pas à eux

---

[1] Leur pourcentage varie, selon C. Th. GOSSEN, de 70 à 97 %. Voir *Die Einheit der französischen Schriftsprache im 15. und 16. Jahrhundert*, ZRPh LXXIII, p. 433.

[2] *Ibid.*, p. 450.

[3] M. PIRON, *Les littératures dialectales du domaine d'oïl* in *Histoire des littératures de la Pléiade*, t. III, p. 1423 ss. Cet usage du dialecte est analogue à celui d'une langue étrangère, cf. l'intéressant article de W. Th. ELWERT, *L'emploi des langues étrangères comme procédé stylistique*, RLC, juillet-sept. 1960, pp. 409-437. M. ELWERT ne parle pas du théâtre français avant Molière; en supplément à son article, il cite le travail vieilli de K. BARDENWERPER, *Die Anwendung fremder Sprachen in den französischen Mysterien des Mittelalters*, Halle 1919. Voir aussi M. BRAHMER, *La comédie polyglotte (XVIᵉ-XVIIᵉ siècles)* in *Actes du Xᵉ Congrès de ling. rom.*, Paris 1965, t. I, pp. 375-383.

seuls de localiser un texte dramatique. Il suffit de rappeler la discussion, significative à cet égard, sur la région d'origine de la farce de *Pathelin*. En dépit des nombreux normandismes de langue, on hésite, depuis des dizaines d'années, entre Paris et la Normandie.

En réalité, les auteurs parisiens se servent occasionnellement, de même que les rimeurs des siècles précédents, des formes picardes ou normandes pour les besoins de la versification (rime ou longueur du vers). Dans des textes dont l'origine parisienne est hors de doute, comme p. ex. quelques sotties du *Rec. Trepperel*, on trouve ainsi des formes qui présentent le traitement normanno-picard des gutturales, les possessifs affaiblis *no, vo,* des futurs et des conditionnels avec insertion d'un *e* (*devera*), etc. Ces formes étaient faciles à comprendre puisque les patois picard et normand commençaient aux abords mêmes de la capitale et étaient parlés par les paysans et les marchands qui venaient en grand nombre aux halles de Paris.

Les dialectismes sont à peine plus nombreux dans les textes provinciaux. À l'exception des moralités et des mystères wallons du manuscrit de Chantilly qui ont un caractère dialectal plus marqué (une partie en remontent, comme on sait, au-delà du XVe siècle), les traits régionaux se bornent à peu de chose. Pour le vocabulaire on peut citer un certain nombre de mots normands, comme *becquerelle* 'femme bavarde', *cabasser* 'tromper', *cohue* 'tribunal', *fretel* 'bavardage', *o* 'avec', etc., ou picards, comme *haterel* 'nuque', *loudière* 'femme de mauvaise vie', *maise* 'mauvais', *loquebaut* 'homme qui fait l'important' et plusieurs autres qui devaient vivre encore longtemps. La plupart se retrouvent en effet parmi les provincialismes signalés par les lexicographes des XVIIe et XVIIIe siècles. Aussi n'est-ce pas dans le vocabulaire qu'il faut chercher surtout les caractéristiques dialectales.

Parmi les particularités phonétiques plus persistantes et confirmées par la rime on peut indiquer pour la Normandie : le traitement du *e* fermé accentué en syllabe ouverte ou ce qu'on appelle le *e* normand au lieu du français *oi* (*plover, aver,* etc.), *o* fermé en même position devenant *ou* au lieu du français *eu* (*clamour, portour,* etc.), le traitement normannopicard des gutturales. Parmi les traits morphologiques — surtout des formes de la 1-re personne du pluriel, telles que (*on*) *faison,* (*on*) *voiron,* etc., *av'ous* pour *avez-vous,* la fréquence des conjugaisons en -*u*- et en -*i*- (*mengüe, alissent,* etc.).

Dans les textes picards, outre le traitement dialectal des palatales et des vélaires (quand il n'est pas seulement graphique), on relève les terminaisons -*ie* représentant *yod*+*ata* au lieu du français -*iée* (*lignie* rimant avec *amie*, etc.), les pronoms *mi*, *ti* (pour *moi*, *toi*), des formes verbales avec un *e* intercalé (*pleuvera*, etc.).

Ces traits ne sont pas, du reste, employés avec conséquence, mais alternent avec des formes françaises. Dans notre étude sur la dérivation dans les textes du théâtre comique, nous avons tenté de déceler une distribution régionale des suffixes. Tout ce qui a pu être constaté, c'est le fait que tel ou tel autre suffixe apparaît plus fréquemment dans certaines régions. Souvent il s'agit du conservatisme typique des patois. Ainsi les féminins en -*eresse*, en train de vieillir, sont plus employés dans les textes du nord et du nord-est que dans les textes parisiens. L'ancien -*el*, devenu depuis le XIIIe siècle -*eau*, se rencontre plus souvent dans les pièces normandes. Parfois son emploi est déjà comique. Ainsi un bêta de Rouen se demande : « Et ne suis je mie aussi gras qu'un veel ? Doy je dire un veau ? »[4]. Ceci rappelle les recommandations plaisantes de P. Fabri dans son *Grand et vray Art de pleine Rhetorique* : « Johannes qui dictes pourcel Aprenez a dire pourceau... Point ne fault dire ung bel oysel, mais vous direz ung bel oyseau, Johannes, etc. »[5]. Le même Fabri énumère les mots en -*el* parmi ceux « qui ne sont point entenduz oultre les faulbourgs des villes et villaiges parciaux »[6].

Dans l'ensemble, la place que tiennent dans nos textes les traits dont on vient de parler est minime. Si nous avons un peu insisté sur cette question, c'est pour montrer que les « touches dialectales », du moins en ce qui concerne le normand et le picard, ne sont qu'une condensation des particularités les plus typiques. Contrairement aux échantillons des patois méridionaux ou des langues non-romanes, il ne sont pas « d'une gratuité fantasque », comme le dit M. GARAPON[7]. Leur emploi comique est aussi, on le verra, beaucoup plus large.

Ils interviennent d'abord à côté des autres jargons qui font rire par leur étrangeté (avant le milieu du XVe siècle ce rôle était dévolu surtout à l'argot, cf. les scènes de taverne dans le *Jeu de St. Nicolas* de J. Bodel et dans *Courtois d'Arras*, la langue des garçons de bourreau dans quelques mystères, etc.). L'exemple le plus achevé d'un pareil baragouinage est donné par la farce de *Me Pathelin* : dans son délire Pathelin est censé

---

[4] *Farce de Joliet*, ATF I, pp. 52-53.

[5] Ed. Héron, t. II, pp. 115-116.

[6] *Ibid.*, p. 114.

[7] R. GARAPON, *La fantaisie verbale et le comique dans le théâtre français du Moyen Âge à la fin du XVIIe siècle*, Paris 1957, p. 105.

parler successivement limousin, picard, flamand, normand et breton. On a assez discuté sur la forme et le sens de ce charabia. Ce qui est évident, c'est la correction relative des passages picard et surtout normand. Ils étaient d'autant plus comiques que leur intelligence ne faisait point difficulté pour le public des grandes villes du domaine d'oïl. Leur caractère provincial avait une saveur analogue à celle de l'accent marseillais sur la scène actuelle.

Le dialecte dont on se sert le plus souvent est le picard. Dans la farce de *la Résurrection de Jenin à Paume* [8], Jenin qui revient de l'enfer parle une langue parsemée de picardismes, tels que *gargate* (gorge), v. 123, *quien* (chien : imprimé par erreur *qui en*), v. 124, *ch'est* (c'est), v. 125, *chy* (icy), *ibid.*, *cose* (chose), *ibid.*, *cheur* (sœur) [9], v. 103, *toquer* (toucher), v. 144, *rouardure* (regardure, 'chose à voir'), v. 117, *my* (moi), v. 127, *me* (ma), v. 103, *noz maison* (notre maison), v. 215, etc. Le texte est de la fin du XVe siècle [10]. Dans une autre version du même sujet, *la Résurection de Jenin Landore* [11], qui est de 1509, mais semblerait remonter à une source antérieure, Jenin, rentrant cette fois du paradis, s'exprime en un latin macaronique. À sa femme, qui en est étonnée, il explique : « C'est du latin de paradis, Qui m'avoit enflé tout le corps. Se ne l'eusse bouté dehors, Crevé fusse pour tout certain » (ATF II, p. 30). Le jargon pseudo-savant joue ici un rôle analogue aux dialectes. De même le « jargonnement » de Pathelin se termine par un passage en latin de cuisine. Le mécanisme comique de ce latin de théâtre, étranger et transparent à la fois, a été étudié par Emmanuel PHILIPOT [12] et, plus récemment, par M. R. GARAPON [13]. Il était assez rapproché de celui des jargons patois. Aussi n'est-il point étonnant que leur récitation ait été confiée aux mêmes exécutants. Plusieurs textes mentionnent pareil emploi d'acteur. La sottie des *Vigiles Triboulet* [14], écrite aux environs de 1480, énumère parmi les aptitudes comiques du grand farceur celle de « Parler ung tres divers langaige : Latin, picart, flament, françoys Il parloit tout a une voix. Oncques maistre Françoys Villon Ne composa si bon jargon » (vv. 219-223). Dans la *F. du Pourpoint*

---

[8] *Rec. Cohen*, n° L.

[9] Le passage de *s* initial devant voyelle à la chuintante š, fréquent en picard moderne est très rare à l'époque qui nous occupe. Cf. C. Th. GOSSEN, *Grammaire de l'ancien picard*, 2e éd., Paris 1970, p. 107 n.

[10] Il y est fait allusion dans la farce de *Léger d'argent*, n° XXV du même *Rec. Cohen*, qui est de la dernière décade du XVe siècle.

[11] ATF II, pp. 21 ss.

[12] *Trois farces*, pp. 85 ss.

[13] *Op. cit.*, pp. 38 ss.

[14] *Trep.* 1, n° X.

rétréci [15] l'un des joyeux compères qui doit se faire passer pour un prêtre dit : « Je scauré bien faire le prestre (c.-à-d. parler latin). Se tu vieulx, et si parleré Breton ou picard... » (vv. 605-607).

Les « touches dialectales », employées uniquement pour leur effet verbal, sont d'un comique assez primitif. Cependant le dialecte, ou plutôt le patois, est utilisé aussi autrement, surtout dans des textes plus tardifs. Il devient en même temps un moyen stylistique pour caractériser le milieu social. Il apparaît régulièrement dans le cycle des farces qui représentent le fils d'un paysan envoyé aux écoles et destiné à devenir prêtre. A cet imbécile prétentieux les auteurs de farces opposent des parents pleins de simplicité et de bon sens paysan. Dans le plan linguistique, on voit d'une part le latin de cuisine du garçon, doublé parfois de celui d'un magister qui n'est pas de meilleur aloi, et d'autre part, la langue des parents, saupoudrée de dialectismes et de mots populaires (cf. ci-dessus, II, 2).

Dans son introduction à la farce de *Me Mimin l'étudiant* [16], E. PHILIPOT a déjà signalé les normandismes de mère Lubine, des mots tels que : *bru, passim,* 'fiancée', *s'estriquer,* 'se faire belle', v. 22, *joletru,* 'freluquet', v. 214, *ltndraye,* 'lambine', v. 101, etc., des prononciations dialectales comme *cherme* (charme), v. 95, *enfanchon* (dim. normand d'*enfant*), v. 222, *gay* (geai), v. 366, *peulx* (poils), v. 49, etc. Quelques mots pseudo-latins sont également basés sur des formes normandes : *douchetus* sur *douchet,* vv. 184, 190, *neuchias* sur *neuches* (noces), v. 219. Pour la grammaire on peut citer des formes du type *alisson,* v. 38, etc. ; *entre nous, vous,* vv. 165, 319, *nous,* pour *vous* ; *l'en,* v. 92, pour *l'on* et d'autres.

Lorsqu'il relevait ces particularités, en 1931, E. PHILIPOT ne pouvait pas encore connaître quelques autres textes, édités plus tard, tels que le fragment de *Thévot le maire, Perruche sa femme, et Colin, leur fils,* publié par I. MAXWELL [17], la farce de *Me Mimin qui va à la guerre* (n° IV du *Rec. Cohen*), et enfin la farce de *Me Jehan Jenin, vrai prophète* qui fait partie du vol. II du *Rec. Trepperel* (n° VI). Dans tous ces textes, de même que dans la *F. de Me Mimin l'étudiant,* que PHILIPOT date des années 1480-1490 et qui en est peut-être le chef de file, la langue de la mère a un cachet dialectal. On y trouve des formes telles que *fieu* (fils), *crueux* (*Thevot, Perruche*...), *agardez, mousieur, tumber* (*Me Jehan Jenin*), *autrusse, je l'os* (*Me Mimin à la guerre*). La plupart des textes dont on vient de parler sont originaires

---

[15] *Rec. Cohen*, n° XLIV.
[16] *Trois farces*, pp. 75 ss.
[17] *Humanisme et Renaissance* VI (1939), pp. 541-546.

de Rouen ; la bourgeoisie cultivée de la grande cité devait être la première
à rire de ces paysanismes.

Un autre trait qui caractérise parfois le parler des parents villageois,
c'est la déformation des mots savants. Dans la farce de *Me Mimin l'étudiant*
on a *astrilogue*, v. 79, *pidagogue*, v.78, *dieutrine* (doctrine), v. 347, *laton*
(latin), v. 223 ; dans celle de *Me Jehan Jenin — trologie* (astrologie), v. 12,
dandrinaux (doctrinaux), v. 24, *Bucquenicles* (Bucoliques), v. 23, *docqueteurs*,
v. 33, *merdecine*, v. 12[18].

Une pièce plus tardive se rattachant au même groupe — *Pernet qui
va à l'école*[19] y ajoute un autre effet comique tiré du dialecte. Invité par
son maître à répéter l'alphabet, le garçon confond les noms des lettres avec
des mots : b — boit, c — soif, d — doigt, etc. — confusion qui n'est
possible que dans un patois où *oi* est représenté par *e*.

Le dialecte normand est curieusement utilisé dans le sottie de *la Mère
de Ville*, jouée à Rouen en 1541[20]. La langue y varie selon le personnage
qui parle. Dans les 121 vers octosyllabes prononcés par la Mère, c.-à-d.
la mairesse, il y a en tout quatre mots ayant une forme dialectale : *gayne*
(guéhenne), v. 39, *estrape* (attrape), v. 85, *escus* (échus), v. 250, *oués* (oyés),
v. 335. Le vocabulaire, sauf peut-être *grediller*, v. 27, est entièrement français, de même que la morphologie. Il en est tout autrement du langage
employé par le valet Sousyelet. Les 88 vers de son rôle comportent huit
dialectismes de vocabulaire : *arage*, v. 217, *astivelle*, v. 145, *estourdille*,
v. 220, *grupt*, v. 290, *sammeler*, v. 230, *sougoullier*, v. 75, *trompille*, v. 57,
vecyne, vv. 58, 72 et *passim*. Dix-huit mots présentent le traitement dialectal
des palatales et des vélaires : *desplacher*, v. 53, *fachon*, v. 226, *cault* (chaud),
vv. 45, 52, *caluroulx* (chaleureux), v. 228, *ga* (jà), v. 245, *gaule* (geôle),
v. 113, etc. On trouve *e* au lieu de *oi* pour *voir*, v. 226, etc., *ou* au lieu de *eu*
(*lavour*, v. 74, *coue* = queue, v. 95, etc.). A noter aussi quelques particularités morphologiques : *o*, *ol* pour il(s), *men* pour *mon*, v. 112, etc. Enfin
quelques mots ont l'ancienne finale *-el* à la place de *-eau* (*gendarmerel*,
v. 124, *maquerel*, v. 225). Le nombre des formes dialectales employées
par les trois suppôts de la Mère est intermédiaire entre sa langue et celle
du valet. Les 29 octosyllabes du premier contiennent : un mot régional,
neuf formes phonétiques dialectales et aucun trait morphologique, les 38
octosyllabes du second — également un mot régional et quatre formes

---

[18] Voir aussi ci-dessus « Histoire d'un thème dramatique ».
[19] ATF II, pp. 360-372.
[20] *Rec. gén. sotties*, III, pp. 100-120.

phonétiques normandes, rien pour la morphologie, enfin les 68 octosyllabes du troisième — trois mots régionaux et quatre formes phonétiques locales.

On pourrait se demander, si les normandismes de la Mère et ceux de ses suppôts ne sont pas propres à l'auteur lui-même. Cependant certains traits prouvent que le dosage différent des formes dialectales dans la langue des personnages est intentionnel. La langue du valet se distingue de celle des autres non seulement par la quantité, mais aussi par la qualité. Il est le seul à user de formes morphologiques dialectales [21]. Les mêmes mots reviennent avec une prononciation différente dans la bouche des divers personnages. Ainsi à la·prononciation populaire *gardeans*, v. 68, 254 (toujours avec la rime *ceans*), dans la langue des deux suppôts, s'oppose *gardien*, v. 156, de la Mère de ville (il est vrai, à l'intérieur du vers). De même on a d'une part *lavour*, v. 74, *savour*, v. 50 du valet et de l'autre — *laveur*, v. 108 de la Mère de ville. Enfin des passages entiers, même dans le texte du valet, sont écrits en un français dépourvu de toute teinte régionale. Il semble que l'auteur ait visé moins à un effet comique qu'à une peinture réaliste du milieu local. Il a eu le bon goût de ne pas fatiguer les spectateurs par une accummulation trop massive des traits patois.

Ce souci est encore plus poussé dans quelques farces parisiennes du premier tiers du XVIe siècle où interviennent des paysans. Des formes et des mots picards y rendent plus vraisemblable et soulignent l'imbécillité de ces rustres pour lesquels l'ancien théâtre comique n'a pas été bien doux.

La version renovée de la farce de *Mahuet Badin*, qui forme le n° XXXIX du *Recueil Cohen*, diffère de celle du BM reproduite dans ATF et sans doute plus ancienne, justement par l'introduction du patois. La mère, qui recommande à son fils de vendre ses œufs au prix du marché, et le niais qui exécute cette recommandation au pied de la lettre en offrant sa marchandise à celui qui lui fait croire qu'il s'appelle le Prix du marché, parlent tous deux un langage saupoudré de picardismes, comme *denbonjour*, c.-à-d. doint bonjour (mal imprimé *den ! bonjour*), v. 25, *fieux*, vv. 52, 68, *carneaux* (créneaux), v. 83, *gay* (geais, glosé à tort par l'éditeur perroquet), v. 86, *il chet* (il sait), v. 152 ; comme dans de nombreux textes populaires *ui* est prononcé *i* (*cuyz* rime avec *Paris*, vv. 18-19). Pour la morphologie on a plusieurs emplois de *no, vo* au lieu de *notre, votre*, vv. 32, 72, 264, et une flexion verbale en -*i* (*vensist*, v. 122). On voit que l'auteur se contente

---

[21] Il en est de même dans *le Mystère de Saint Quentin* où le valet Wautrequin parle un dialecte picard de la Wallonie, parsemé de flamandismes. BARDENWERPER qui donne ce texte (*op. cit.*, pp. 66 ss.) n'y a aperçu que ces derniers.

de quelques traits linguistiques qui suffisent pour la stylisation paysanne sans gêner la compréhension du texte.

Il en est de même dans la *F. des Femmes qui vendent amourettes* qui semble une compilation de deux pièces primitivement séparées [22]. Dans l'une, Villoire ou « sotereau du village » se fait maltraiter pour vouloir acheter l'amour d'une bourgeoise de Paris. Parmi ses paroles il mêle les picardismes *bucquer* 'heurter', *catoire* (chatoire), *jouyeux, me* pour *ma*, et une forme populaire due à la déglutination — *moureux* pour *amoureux*.

La farce des *Enfants de Borgneux* ou plutôt de Bagneux [23] mérite une place à part. Outre quelques formes d'allure picarde comme *disse*, v. 137, prononcé *diche*, puisqu'il rime avec *rische* et *fiche*, *bechire* pour *beau sire*, v. 262, *Michié* (Michel), v. 111, rimant avec *couchié*, *tournois* prononcé *tournas*, v. 247, une forme verbale en *-i*, *j'entry*, v. 77, etc., le langage des jeunes paysans comporte de nombreux tours tels que *je ferons*, v. 259, *je fringuerons*, v. 258, *je n'avons, je sommes contens De ce que j'avons*, vv. 265-266, etc. ainsi qu'une conjugaison simplifiée du verbe *être* : *j'estiés*, vv. 182, 185, 206, *tu estiés*, v. 47, (elles) *estiés*, v. 209, *c'estiés*, v. 211 ; aussi une forme analogue du verbe *sauter* : *tu saultiés*, v. 49. À signaler aussi le mot *filomie* qui semble une déformation de physionomie (attesté depuis le XIIIe siècle).

Il est difficile de dire dans quelle mesure cette manière de parler attribuée aux paysans de la région parisienne correspond à la réalité linguistique. Quoi qu'il en soit il est certain qu'on a ici déjà les traits qui, avec quelques autres, deviendront conventionnels au siècle suivant.

Les formes du type *j'avons, je sommes*, etc., qu'on rencontre dans les textes du théâtre aussi en dehors des passages « paysans », étaient plus largement employées. Selon Palsgrave, elles appartiennent au « comune speche » [24]. Durant la deuxième moitié du XVIe siècle, elles ont tendance à pénétrer dans les milieux cultivés. Il en est à peu près de même des formes du type *j'estions, ils estiont* [25] et des terminaisons verbales en *-i* [26]. Plus tard, condamnées par les grammairiens, toutes ces formes deviendront vulgaires et feront partie des caractères linguistiques prêtés traditionnelle-

---

[22] *Rec. Cohen*, n° XXXVIII. L'épisode de la querelle entre Adam et sa femme Male Pacience qu'essaie d'apaiser Enguerrand n'a rien à voir à la vente d'amourettes. Il vient d'une autre pièce appartenant au type que nous avons décrit ci-dessus, dans : «Le développement d'un schéma de farce ».

[23] *Rec. Cohen*, n° XXVII.

[24] Cité par F. BRUNOT, *Histoire de la langue française*, t. II, p. 335.

[25] Cependant, elles n'étaient pas aussi répandues que le dit BRUNOT, *ibid.*, p. 336.

[26] Voir *ibid.*, p. 324.

ment au peuple parisien. Déjà *le Moyen de parvenir* (1612) offre un spécimen significatif de ce procédé : « comme j'estions ententifs : Et qui sommes nous ? — Je sommes ce que je sommes ; je jouons. — Et que jouons-je ? — Je jouons ce que j'ons. — Et qu'ons-je ? — J'ons ce que j'ons. — Ons-je en jeu ? — Si je n'y ons, j'y fons… . Foin, ces Parisiens-cy me troublent » [27]. Vers le milieu du XVIIe siècle ces tours se retrouvent de règle partout où on a affaire à une stylisation paysanne : dans le langage pseudo-populaire des Mazarinades, dans le parler du paysan Gareau du *Pédant joué* de Cyrano de Bergerac, chez les paysans de Molière [28]. La prononciation de ces paysans de la banlieue parisienne contient, entre autres, plusieurs particularités picardes. Dans *les Agréables conférences de deux paysans de Saint-Ouen et de Montmorency*, on a *biau, coppiau*, etc., dans *le Pédant joué* — *biau, chapiau, copiau, vaissiau*, etc., dans *Don Juan* — *biau, gliau, escabiau*, etc., dans *le Médecin malgré lui* — *iau, Biausse*, dans *les Femmes Savantes* — *biaux*. Les mêmes personnages substituent *i* à *ui* (*pis* = puis, *sis* = suis, etc.) — prononciation plus généralement populaire. *Oi* est représenté par *e* (*dret, fret*, etc.), ou par *a, oua* (*var, fouas, tournoua*), etc. La forme *fieux* revient à plusieurs reprises dans *les Mazarinades* [29].

Tous ces paysans déforment des mots recherchés. Gareau dit *suisson* pour *succesion*, *Turquise* pour *Turquie*, *simonie* pour *cérémonie*, etc. Le dernier mot devient *sarimonie* dans la bouche de Lucas du *Médecin malgré lui* ; Thibaut de la même pièce parle de *syncoles*, c'est-à-dire de syncopes. La servante Marotte des *Précieuses ridicules* déforme *philosophie* en *filofie*, Pierrot dans *Don Juan* — *pleurésie* en *purésie* [30].

Un autre trait du parler des gens de basse condition dans la littérature du XVIe siècle, c'est l'accumulation de jurons. Il suffit de rappeler la litanie

---

[27] Cité par L. Sainéan dans : *Problèmes littéraires du XVIe siècle*, Paris 1927, p. 104. Pour les formes en -*i* cf. un passage paysan du *Francion* de Ch. Sorel, reproduit par F. Brunot, *op. cit.*, t. III, p. 181 n.

[28] Cependant, comme le remarque bien Fausta Garavini, il y a lieu de distinguer chez Molière le patois stylisé de la caractéristique dialectale des habitants d'une région ; voir son article *La fantaisie verbale et le mimétisme dialectal dans le théâtre de Molière. À propos de « Monsieur de Pourceaugnac »*, RHLF, sept.-déc. 1972, pp. 806-820.

[29] Une analyse phonétique plus complète de cette langue est donnée dans l'ouvrage encore utile de Ch. Nisard, *Étude sur le langage populaire ou patois de Paris et de sa banlieue*, Paris 1872, pp. 132 ss. Nisard relève des prononciations picardes, comme la distinction de *in* et *an* (nb. il s'agit souvent d'hyperpicardismes, comme *dinse, finfaron*, etc.).

[30] Le dernier mot présente à la fois une déformation, avec attraction de *purée*, et une prononciation populaire. Le même Pierrot dit *putôt*, ailleurs on trouve *pus* pour *plus*. La tendance à prononcer *eu* comme *u* est connue, cf. *Ugène*, etc.

de Pierrot entrecoupée des souflets de Don Juan : « Tétigué ! ne me frappez pas. Oh ! jerniguié ! Ventregué ! morguienne !... » (II,3).

Ce trait ne manque pas aux paysans du théâtre français antérieur à la moitié du XVIᵉ siècle, mais il ne leur est point propre. En réalité, la langue de l'ancien théâtre, très proche de l'usage parlé, fourmille tout entière d'expressions du genre de *par la mort bieu, vertu bieu,* etc. D'une manière plus générale, les passages « paysans » de ce théâtre tranchent moins sur le parler des autres personnages que ceux de la comédie classique. Des différences plus sérieuses, d'ordre non linguistique, séparent évidemment les Pierrots et les Lucas de Molière de leurs grossiers ancêtres du début du XVIᵉ siècle. Mais il ne semble pas sans intérêt de noter que, déjà à cette époque, les auteurs de farces s'efforcent de créer une sorte de style paysan. Les éléments de cette stylisation, plus ou moins réaliste et à la fois comique, sont dès lors fixés dans l'essentiel. On les retrouvera, développés et stéréotypés, cent cinquante ans plus tard.

2. UN PROCÉDÉ COMIQUE : LA FAUSSE COMPRÉHENSION DU LANGAGE

Dans son catalogue des jeux verbaux de l'ancienne farce française, Barbara C. BOWEN signale un procédé, non relevé auparavant, qu'elle appelle « l'ignorance des conventions du langage humain » [1]. Celle-ci tient surtout à comprendre littéralement une expression figurée ou idiomatique.

Le procédé, dans lequel B. C. BOWEN voit un jeu à la fois verbal et physique, est même plus largement utilisé qu'elle ne le dit. Il présente diverses variétés, allant du pur comique verbal au comique de caractère et de situation. Son mécanisme linguistique est également plus varié qu'il ne paraît au premier abord.

Le type le plus primitif consiste à ne connaître un mot ou une expression que dans l'usage qu'on en fait quotidiennement. Ainsi Jeninot, habitué à garder les brebis, ne comprend pas la recommandation qu'on lui fait de « garder la maison » et demande :

> Voire, mais s'il (= s'elle) s'enfuyt, voilà :
> Faudra il que je cours après?

(ATF I, p. 223)

Le même ne sait comment exécuter l'ordre de son nouveau maître qui lui dit de mener sa femme à la messe. D'habitude il n'avait fait que « mener noz jumans paistre » et sa maîtresse « n'a bride ne licol » (*ibid.*, p. 301). Finalement, il saute dessus, jeu dont l'équivoque est souligné encore par la comparaison avec la manière dont en usait chez lui son précédent maître [2].

L'incompréhension du sens figuré est un trait conventionnel de la naïveté. Le bêta de la farce de *Jenin, fils de Rien*, en quête d'un père, ne veut pas croire le curé qui affirme l'avoir « forgé » lui-même. La supposition le fait éclater de rire :

> Forgé ! Estes vous mareschal ?
> Allez donc ferrer un cheval,
> Et vous y ferez voz pourfitz.

(ATF I, p. 361)

---

[1] B. C. BOWEN, *Les caractéristiques...*, pp. 28 et 47. Le procédé ne figure pas dans le riche inventaire de R. GARAPON, *La fantaisie verbale et le comique dans le théâtre français du Moyen Âge à la fin du XVIIe siècle*, Paris 1957, dont le chapitre II concerne notre époque.

[2] Ce quiproquo — un paysan qui ne comprend pas ce qu'on lui veut — est tradition-

Pernet, villageois imbécile, à qui un Magister enjoint de « rendre les lettres de l'alphabet », demande : « et que vous ay je desrobé ? » (ATF I, p. 365).

La dernière pièce — *Pernet qui va à l'école* — comporte un autre procédé, dont les effets sont en quelque sorte similaires. Le garçon, invité à répéter les noms des lettres látines, les assimile à des mots dialectaux de même consonance qui lui sont mieux connus : ainsi B égale « bois » dans la prononciation normande, C — « soif », D — « doigt », etc. Des associations scabreuses ne sont pas non plus oubliées [3].

La fausse compréhension d'un tour plus ou moins figé peut être développée en un jeu de scène et même former le sujet d'une pièce entière. C'est le cas de quelques farces dont le comique réside dans l'exécution à la lettre d'un ordre. Le paysan de la farce de *l'Arquemination* [4], à qui sa femme a donné des œufs et du fromage pour en « faire de l'argent », se laisse duper par des « arqueminateurs » ou alchimistes qui s'offrent de lui apprendre à transformer ses produits en espèces sonnantes. Mahuet Badin, que sa mère envoie à Paris en lui disant de donner ses œufs « au pris du marché » (ATF II, p. 82), les livre gratuitement à un malin qui lui fait accroire qu'il se nomme « le Pris du marché ». L'histoire d'un naïf qui prend une expression pour le nom d'une personne et lui remet un objet confié à sa garde est répandue dans la littérature narrative [5]. Quant à Mahuet, il se venge en prenant à la lettre une autre indication. En effet, le rusé compère continue à se jouer du bêta en lui conseillant de briser sur la tête du « premier venu » un pot où sa main est restée prise. Or, c'est lui-même ce premier venu.

Il arrive que la fausse compréhension soit plus feinte que vraie. Naudet, à qui sa femme et le seigneur du lieu, se préparant à une partie fine, demandent de mettre le vin « dedans ung plain seau d'eau freche » (ATF I, p. 256), verse le contenu du pot — non sans s'en être régalé d'abord — dans un seau d'eau.

Linguistiquement, l'incompréhension d'une expression toute faite consiste à délexicaliser une unité phraséologique, en ranimant le sens primitif de ses éléments. Le procédé a été aussi autrement appliqué dans

---

nel dans le folklore, cf. MI X.111.2 ; Ch. Mazouer y voit un manque d'intégration dans le monde (*Un personnage de la farce médiévale : le naïf*, RHTh 1972, n° II, p. 148).

[3] Le jeu se retrouve dans d'autres pièces du même cycle et dans les anecdotes de la littérature narrative, dont elles s'inspirent probablement. Voir ci-dessus « Histoire d'un thème dramatique ».

[4] Publiée par E. Picot, Paris 1914.

[5] P. Toldo, *Études sur le théâtre comique français du Moyen Âge et sur le rôle de la nouvelle dans les farces et les comédies*, SFR IX (1902), pp. 301 s., en signale plusieurs

l'ancien théâtre. Comme l'a signalé B. C. Bowen, certaines pièces ne sont qu'une « mise en action » d'un dicton ou d'une expression proverbiale [6]. C'est surtout le cas de plusieurs farces du *Recueil Cohen* [7]. Ainsi dans le n° XXXIV de ce *Recueil*, les *Esveilleurs du chat qui dort*, deux mauvais plaisants s'amusent à taquiner un chat somnolent et s'en font griffer. Ailleurs (n° XXIX), une femme fait « baster [8] son mari aux corneilles », en lui demandant d'observer le vol des corneilles « pour scavoir droictement quel temps il fera », et, en fait, pour avoir le loisir de recevoir son amant. Deux autres femmes montrent à leurs maris ivres des vessies en leur faisant croire que ce sont des lanternes (n° XV).

Nous sommes peu sensibles aujourd'hui à cette sorte de plaisanteries. Le jeu semble pourtant avoir été fort goûté par les spectateurs du temps, en particulier, lorsqu'il s'agissait de métaphores obscènes. L'expression libre — *les bottines Gautier* [9] — est développée dans la farce des *Amoureux qui ont les bottines Gautier* (n° IX du *Rec. Cohen*). La femme y fixe un rendez-vous à deux amants à la fois, en offrant comme gage à chacun une bottine de son mari Gautier. Une autre expression, sans doute également licencieuse — *en avoir la chemise Bertrand* — est mise en action dans la pièce n° XXIV du *Recueil* : l'amoureux, pour éviter d'être surpris par le mari, s'enfuit revêtu de la chemise de celui-ci. Quelques farces grivoises, telles que *Raoulet Ployart* de Gringore, *le Ramoneur de cheminées*, *les Femmes qui font écurer leurs chaudrons*, sont basées sur la confusion constante du sens figuré et du sens propre de métaphores érotiques.

Cependant, si on a ici également une « concrétisation » d'un tour figuré, le procédé n'a rien à voir avec la naïveté en matière de langage. Il ne semble justifié que par lui-même. C'est une jonglerie consciente, une de ces acrobaties verbales qu'affectionnaient tant les écrivains du Moyen Âge finissant. Abstraction faite des associations scabreuses, le jeu porte davantage sur la forme que sur le contenu et ne diffère pas, dans l'essentiel, des amusements du genre de celui qu'on trouve dans la farce n° VII du *Rec. Cohen*, où un jeune étourdi Regnault « se marie à la volée » en épousant une femme nommée Lavollee. La réinterprétation structurale

---

exemples allant de la *Kryptadia* au folklore moderne, cf. aussi AaTh, type 1700 et MI J. 1741.3.

[6] *Loc. cit.*

[7] Déjà dans son compte rendu du *Recueil*, BHR XI (1949), pp. 301 ss., Mlle E. Droz constatait que beaucoup de ses pièces illustrent des proverbes.

[8] De même sens que *bayer*. Sur cette forme de l'expression, voir F. Lecoy, c.r. du *Rec. Cohen* in *Romania* LXXI (1950), p. 525.

[9] Cf. *Parnasse satyrique*, p. 59 et Rabelais, éd. Lefranc , L. II, chap. XII, n. 22.

et sémantique de l'expression *à la volée* donne lieu à un véritable calembour. Cependant l'auteur de *Renaud qui se marie*, farce par ailleurs des plus intéressantes [10], ne semble rechercher qu'un divertissement formel, analogue à celui des « rimes équivoques » [11].

Rare dans l'ancien théâtre comique, le calembour y apparaît souvent sous forme de fausse compréhension du langage. Il en est ainsi surtout dans le type de pièces qui ont pour motif principal une confession facétieuse. Le pénitent, vrai ou feint, ne saisit pas ou fait semblant de ne pas saisir ce qu'on lui veut. Le prêtre, de son côté, n'est pas trop perspicace et met assez de temps avant de s'apercevoir que son pénitent fait « l'entend-trois » [12], ce qui occasionne toutes sortes de situations et de jeux de scène amusants.

Rifflart, forcé par sa femme à se confesser avant Pâques, feint d'entendre de travers les paroles du curé. Lorsque celui-ci lui ordonne d'« aller en lange », il comprend « en laine » — vieux sens de *lange* — et assure « Tousjours je suis jusqu'a la manche » (*La Confession Rifflart, Trep.* II, n° V, vv. 199-200) ; à l'injonction de dire « troys patenostres », il répond :

> S'on ne me pent parmy la gueulle,
> Je n'en scay qu'une toute seulle.
>
> (vv. 213-214)

et ainsi de suite. À la fin le curé lui inflige un pèlerinage à Boulogne ; faisant toujours l'imbécile, Rifflart lui réclame les frais du voyage.

On trouve une confusion semblable dans le *Testament Pathelin*. Messire Jehan venu confesser le mourant lui demande entre autres :

> Sçav'ous respondre, *Dominus* ?

Au lieu de répéter ses paroles, Pathelin réplique :

> Par ma foy, je n'en congnois nulz.
>
> (*Rec. Jacob*, p. 198)

D'une manière scabreuse il confond « Dieu et ses saincts » avec « ses

---

[10] Voir l'article de M. Raymond Lebègue, *Molière et la farce* in *Cahiers de l'Assoc des Études françaises*, n° 16 (mars 1964), p. 199 ; cf. aussi la note de M. Jean Frappier in *Romania* LXXXII (1961), pp. 522 ss.

[11] Amusement qui consistait à scinder artificiellement un mot et à faire rimer les parties ainsi obtenues. L'exemple le plus fameux en est fourni par l'*ABC des doubles* de Guillaume Alecis, composé de vers tels que :

> Et puis dit le meschant cornard :
> « Tant comme je boy , mon corps n'arde ».
> Boire doit cornard ou cornarde
> Tousjours, affin que son corps n'arde, etc. (Ed. SATF, vv. 283-196).

[12] L'expression *faire l'ententrois* ou plutôt *l'entend-trois* se trouve dans la *Confession Rifflart* (*Trep.* II, n° V, v. 216). Son sens peut être déduit de ces paroles de Tabourot

seins » (*ibid.*, p. 199), etc. Finalement, le prêtre conclut qu'il a le « cerveau troublé ».

La situation est inversée dans la grivoise *Confession Margot* (ATF I, p. 372). Le curé fait semblant de ne pas comprendre les « péchés » de la fille et lui demande des précisions obscènes.

Le malentendu est double dans le *Nouveau Pathelin*, où pénitent et confesseur ont été induits en erreur sur leurs rôles respectifs. Le pelletier croit qu'il va être payé des « pannes » de fourrure qu'il a livrées à Pathelin, l'ecclésiastique est persuadé qu'il a devant lui un insensé. Leur conversation est un dialogue de sourds, chacun comprenant à sa façon les mots *despescher* et *compter*. Le premier a un sens occasionnel différent pour le prêtre, qui pense à expédier son pénitent, et pour le pelletier, qui veut que son affaire soit au plus vite expédiée. *Compter* signifie pour l'un « conter (les péchés) » et pour l'autre son homonyme [13] « compter (l'argent) ». Le comique est quelque peu chargé, lorsque le pelletier jure :

> Le corps bieu ! Si vous ay tout dit,
> Je suis tout prest de recepvoir...

et que le prêtre réplique :

> Comment voulez vous donc avoir
> *Corpus domini* ? Il faudroit
> Premier vous confesser a droit.

(Rec. Jacob, p. 165)

Le mécanisme de ce « faux » entendement n'est autre que celui dont il a été question au début : en comprenant à la lettre le juron *corps bieu*, on ranime artificiellement les parties d'un tout lexical, en l'occurence d'un composé. Du reste, un peu plus loin, le curé, oubliant son interprétation précédente, jure lui-même *corps bieu* ! Un calembour analogue, dû à la « décompositions secondaire » [14] d'un complexe, se rencontre dans une autre pièce du même type — *la Confession du brigand* — où « (je me confesse) à Dieu » est pris par l'interlocuteur pour « adieu » (*Rec. Cohen*, n° X, vv. 85-87).

Dans cette dernière pièce — meilleur spécimen du genre — le procédé du double entendement est mené à la perfection. Le curé qui se rend à l'église rencontre sur son chemin un voleur; feignant de se confesser, celui-ci vide la bourse de l'ecclésiastique qui ne s'aperçoit de rien. Le public, à qui

---

des Accords : « Quand quelqu'un feint de ne pas entendre ce que l'on propose et respond d'autre, on dit qu'il fait de l'entend-trois » (*Dict. XVIᵉ*).

[13] Au Moyen Âge cette homonymie s'accompagnait souvent de l'homographie. Si l'on distinguait la graphie des deux mots, c'était à l'inverse de l'usage moderne.

[14] Ce phénomène a été bien étudié dans la belle thèse de Danuta BUTTLER sur le

ce jeu de scène ne devait pas échapper, trouvait sans doute beaucoup d'agrément dans le quiproquo verbal qui l'accompagnait. En effet, le brigand exécute avec soumission toutes les recommandations du prêtre, seulement, comme dans le *Nouveau Pathelin*, l'un parle des péchés et l'autre de la bourse pleine d'écus. Voici un exemple du procédé :

Le Curé

Or sus, faicte bien vostre deu,
Il faut laisser chascun son fais.

Le Brigant

Par le sang bieu, je suis emprès
Encore ne fais que commencer.

Le Curé

Il vous fault très bien penser
A mettre tout hors, mon amy.

Le Brigant

Aussi fais je tant que je puis,
Mais le pertuis est trop petit.

(vv. 114-121)

Le dialogue continue ainsi jusqu'à ce que la bourse du curé soit « nette ». Son comique tient à la substitution du sens propre au sens figuré. Pour le curé *mettre hors* veut dire « avouer (les péchés) », pour le voleur « sortir (les écus) », *prouffit* concerne pour l'un l'amendement du pénitent et pour l'autre — l'argent de la bourse. Il ne s'agit pas d'un naïf, incapable de déchiffrer convenablement une structure linguistique [15], mais d'un rusé compère qui se sert sciemment de son ambiguïté. Au lieu de la fausse compréhension on a affaire à l'équivoque voulue [16].

De telle sorte, les auteurs dramatiques de la fin du XVe et du début du XVIe siècle utilisent toute une gamme de procédés tirés de la polysémie du langage. Plus ou moins spirituels, ces jeux verbaux peuvent être un amusement purement technique qui frise l'absurde ; plus souvent, ils servent à caractériser des niais à qui on attribue des calembours involontaires ou encore sont un élément du comique de situation.

---

mot d'esprit dans le polonais contemporain, *Polski dowcip językowy*, Państwowe Wydawnictwo Naukowe, 1968, pp. 108 ss.

[15] En réalité, il s'agit d'une fausse identification de la structure sémantique sousjacente.

[16] La confession équivoque est un motif répandu dans le folklore et la littérature narrative de divers pays. cf. AaTh 1807.

3. LES NOMS DES « MÉTIERS PLAISANTS »

Dans sa belle étude sur le néologisme de Rabelais, Leo SPITZER a le premier, je crois, attiré l'attention sur les formations comiques désignant des métiers momentanés (Augenblicksämter) [1].

À l'intérieur de ce groupe il distingue deux sortes de formations : a) impératif [2] + complément d'objet direct ou complément circonstantiel — *humevesne, maschefoin, tiravant, pissefort*, etc. ; et b) nom d'agent en *-eur* avec un génitif d'objet — *rataconneur de bobelins, preneur de taupes, escumeur de pot* (aussi *escumepot*), *revenderesse d'oignons*, etc.

Les deux types, au contraire des autres dérivés ou composés plaisants, ne présentent aucune irrégularité de formation ; leur comique réside, selon SPITZER, dans l'image verbale. Il voit aussi le propre de ces créations dans leur durée éphémère (Augenblicksbildungen).

En effet, parmi les nombreux exemples qu'on en trouve chez Rabelais, beaucoup ne se rencontrent pas ailleurs et pourraient être de son cru. Cependant, très souvent, Rabelais ne fait que reprendre des formations plaisantes connues avant lui par la littérature comique. Tel est le cas des sobriquets facétieux *Angoulevent, Croquemouche, Frippelippe*, etc. [3] Ce type de formations est du reste répandu dans l'onomastique sérieuse (*Taillefer, Tournebœuf*, etc.).

De même le deuxième type, qui nous intéresse ici, est bien employé avant et après Rabelais.

Le théâtre comique du XVe et du XVIe siècle fourmille d'expressions telles que : *gardeur de tombeau* (*Métier et Marchandise, Rec. Fournier*, p. 48), *rompeur de chansons* 'trouble-fête' (*Le Bateleur, Six farces*, v. 250), *gast[e]urs de pavé* (*Mor. de la Croix-Faubin* in *Romania* 1970, v. 305), cf. le moderne *batteur de pavé, plant[e]urs de rosiers* (*ibid.*, v. 309), *leurreur de chapons gras* 'magistrat corrompu qui se fait donner des volailles grasses

---

[1] *Die Wortbildung als stilistisches Mittel exemplifiziert an Rabelais, Beihefte zur ZRPh*, Halle 1910, pp. 57 et 89 ss.

[2] Comme J. MAROUZEAU (*Notre Langue*, p. 93), nous croyons qu'il s'agit plutôt d'un radical verbal pur.

[3] Voir L. SAINÉAN, *La langue de Rabelais*, Paris 1922, t. I, pp. 254-255. Cf. aussi notre article sur le *Néologisme comique avant et après Rabelais*, KN, 1954, nos 3-4, p. 37.

par les plaideurs' (A. de la Vigne, *Le Monde et Abus, Rec. gén. sotties*, v. 173), *bailleur de bons jours* 'trompeur' (*Mince de caire, Rec. Cohen*, v. 62 et *la Femme dérobée, ibid.*, v. 143), etc.

Pour le XVIe siècle, aux exemples recueillis par SPITZER dans l'œuvre rabelaisienne, on peut ajouter ceux que fournissent en abondance le *Langage figuré* d'Edmond HUGUET et son *Dictionnaire du XVIe siècle*. Citons parmi les plus intéressants : *fesseur de pain* 'gros mangeur', *mangeur de ravelin* et *mangeur* ou *avaleur de charrettes ferrées* (ou *déferrées*) qui signifient tous 'bravache', *bailleur de flustes* 'trompeur', *brouilleur de vin* 'celui qui frelate le vin' et, au figuré, même sens que le précédent.

Au XVIIe siècle, la formation est surtout utilisée dans le style burlesque qui s'en sert comme d'un moyen de dégradation [4] ; le *Lexique des œuvres burlesques de Scarron*, confectionné par L. T. RICHARDSON [5], contient à lui seul plus de quarante expressions de ce type [6]. On y relève entre autres : *avaleur de pois gris* 'glouton', qui est déjà dans Rabelais, *enfanteur de merveilles, exciteur de tempêtes, destructeur de dindons* 'soldat fanfaron' [7], *ureur de Dieu, renifleur de petun, prédiseur des choses fausses*.

La plupart des expressions citées se retrouvent dans le *Dictionnaire comique* de Philibert Le Roux de 1752 [8], à côté de quelques autres formations, comme *batteur de fer* 'coureur de filles, souteneur' (terme de mépris déjà dans *le Bourgeois gentilhomme* de Molière) et *batteur d'estrade* qui a à peu près le même sens, *chantre de lutrin* 'mauvais musicien', *arracheur de dents* 'menteur, avocat de causes perdues', etc.

La formation, toujours vivante en français et qui ne lui est point propre [9], paraît donc avoir joui d'une vogue spéciale du XVe au XVIIe siècle.

Une analyse détaillée des exemples puisés principalement dans la littérature facétieuse des XVe et XVIe siècles, et plus particulièrement dans les textes du théâtre, permet de serrer de plus près le mécanisme comique

---

[4] Il en est ainsi déjà chez Rabelais. Dans une description des enfers imitée de Lucien et présentant une hiérarchie sociale à rebours, on y voit *Galien, preneur de taupes, le pape Sixte, gresseur de verole, Cléopatra, revenderesse d'oignons*, etc. (L. II, chap. XXX).

[5] *Lexique de la langue des œuvres burlesques de Scarron*, Thèse Univ., Aix-en-Provence 1930.

[6] Quelques exemples en sont épars dans l'ouvrage de F. BAR, *Le genre burlesque en France au XVIIe siècle*, Paris 1960 qui, cependant, n'étudie pas le type qui nous intéresse ici.

[7] Les volailles dérobées étaient l'un des sujets favoris du cycle dramatique des soldats fanfarons. Voir à ce propos E. PHILIPOT, *Six farces*, p. 193 s.

[8] Comme on sait ce *Dictionnaire* est basé surtout sur des textes du XVIIe siècle.

[9] L. SPITZER, *op. cit.*, en donne des exemples allemands.

de cette sorte de créations. Spitzer en voit l'essentiel dans : 1) la futilité de l'action et 2) l'incompatibilité du verbe et de l'objet.

Les expressions qu'on vient de citer montrent que ce sont là, en effet, les traits les plus importants. Le caractère futil et occasionnel de l'action est souligné par divers moyens. L'un d'eux consiste à préciser autant que possible l'objet de l'action : *dresseur de saulce vert et cameline* 'pique-assiettes' (Collerye, *Dialogue pour jeunes enfants*, p. 105), *esmailleur de hanaps a pic* (*Le Savetier, le moine…, Rec. Cohen*, v. 183), *bailleur de foin à la mule* 'larron' (*Dict. XVIᵉ*), *bailleur de feves à mycroist* 'trompeur' (*L. fig.*), *pousseur, -euse de beaux sentiments* 'précieux, précieuse', qui est entre autres dans *l'École des femmes* de Molière, *inventrice des gants de chiens* et même *inventrice des gants de Grenoble* (Scarron), etc. On peut en rapprocher quelques noms de saints plaisants qui figurent dans la *Moralité des trois nouveaux martyrs* (*Rec. Cohen*, n° XL) : *Saint porteur de douléances et d'appeaulx, Saint Ouvrier de faire de tous boys* et, avec un participe présent, *Saint Souffrant qu'on larde à ta femme ses peaux*. Parfois la futilité de l'action ressort de l'emploi du préfixe *re-* indiquant un métier de seconde main : *revenderesse d'oignons* (Rab.), *retondeur de toilles* (*Mᵉ Hambrelin, Picot-Nyrop*, v. 32).

Comme l'a déjà remarqué L. SPITZER, l'incompatibilité du verbe et de l'objet résulte le plus souvent de la juxtaposition de deux termes appartenant à des domaines différents. L'un est généralement abstrait ou technique, l'autre a trait à la vie quotidienne (*ravasseur de conscience, ramonneur d'astrologie*, etc.). Ce dernier est souvent un terme érotique ou scatologique ce qui augmente encore le contraste : *composeur de petz* (Rab.), *avaleur de merde* 'filou' (*Dict. XVIᵉ*), *dessicateur de crottes* (Scarron) et autres. Parfois d'ailleurs le tour entier devient une métaphore libre : *fourbisseur de harnoiʐ* (Rab.), *ramonneur de cheminées* (titre d'une farce et d'un sermon joyeux), *laboureur de nature* (Rab., Noël du Fail)[10].

Certains verbes faciles à rattacher à n'importe quel objet se prêtent facilement au jeu. Tels sont surtout :

avaler — avaleur de pois gris, avaleur de merde (cf. ci-dessus), *avaleur de pain, avalleur de vin, avalleur de trippes* et *avalleur d'œuf*(*Mᵉ Hambrelin, Picot-Nyrop*, vv. 218, 207, 269) ; *avaleur de frimas*, appliqué aux gens de justice aussi en dehors de Rabelais (*Dict. XVIᵉ*).

bailler — bailleur de vent (J. Molinet, *Sermon de Billouart*, éd. Dupire, v. 134), *bailleurs de sornettes* et *bailleur de brocars* (*Sottie de la Pipée, Rec. Fournier*, p. 133), *bailleur de balivernes* (*Pathelin*, v. 810), *bailleur*

---

[10] Voir le lexique dans E. PHILIPOT, *La langue et le style de Noël du Fail*, Paris 1914.

de flustes, déjà cité, *bailleur de paraboles* (*L. fig.*), *bailleur de canard à moitié* (*ibid.*), *bailleur de feves a mycroist* (cf. ci-dessus), *bailleur de beaux jours* (Collerye, *Monol. d'une dame fort amoureuse*, p. 78) de même que *bailleur de bons jours*, déjà vu, expressions signifiant toutes 'blagueur, trompeur', *bailleur de foin à la mule* 'larron', cité plus haut.

manger — *mangeur de petits enfans, mangeur de viandes apprêtées* 'poltron', *mangeur de livres, mangeur de crucifix* et *mangeur d'images* 'bigot', *mangeur de pommes*, sobriquet ironique donné aux Normands. Toutes ces expressions figurent dans le *Dictionnaire comique*, mais beaucoup sont bien antérieures au XVIIIe siècle, comme celles déjà citées : *mangeur de ravelin* et *mangeur de charrettes* (*dé*)*ferrées*.

faire — verbe omnibus dont on relève de nombreux dérivés chez Scarron : *faiseur de brigandages, faiseur de coupeaux, faiseur de vers, faiseur de bouts-rimés, faiseuse de messages* (Iris) et chez d'autres écrivains du XVIIIe siècle : *faiseur de livres* et *faiseur d'almanachs* (Rich.), *faiseur d'horoscopes* (La Fontaine, cf. HUGUET, *Petit glossaire des classiques*).

Les dérivés analysés ne sont pas des néologismes proprement dits. Ceux-ci sont d'ailleurs rares. À signaler tout au plus : *jureur* (*de Dieu*), qui du reste enfreint les règles de la syntaxe, *jurer* ne pouvant point avoir de complément direct, et *prédiseur* (*des choses fausses*) qu'on relève chez Scarron.

Cependant c'est une particularité de forme qui, en dehors de l'image verbale qu'elles présentent, rend surtout frappantes les créations de ce type. Celle-ci consiste à briser un groupe formant bloc en y attachant un suffixe.

Ainsi on tire des expressions proverbiales : *escumer le latin* — *escumeur de latin* (*Sottie des Sots qui corrigent le Magnificat*, Trep. I, v. 38 et personnage des *Coppieurs et Lardeurs*, *ibid.*), *éveiller le chat qui dort* — *Esveilleurs du chat qui dort* (titre d'une des pièces du *Rec. Cohen*), *bailler un bon jour* — *bailleur de bons jours*, déjà mentionné, *graisser les bottes* 'se préparer à mourir' — *gresseur de bottes* (Rab.), *crier aux petits patés* 'accoucher' — *crieur de petits patés* (Rab.)[11], *mettre les poules couver* — *metteur de poules couver* 'sot' (Restif de la Bretonne, *Monsieur Nicolas*[12]), etc.

L'effet stylistique de l'expression dérivée dépend du degré de soudure du groupe primitif. Son mécanisme comique se rapproche de celui des

---

[11] Le sens 'accoucher' est donné par le *Dictionnaire comique*.

[12] Exemple signalé par PHILIPOT, *Noël du Fail* (cf. ci-dessus n. 10) s. v. *annicheur (de poules)*.

dérivés où le suffixe se joint à un complexe lexicalisé, tels que : *chef-d'œuvral, médailledorable, je m'enfichisme*, etc. [13].

On a remarqué que la plupart des exemples étudiés ci-dessus avaient un sens figuré. C'est là, semble-t-il, ce qui a pu leur assurer une durée prolongée. En analysant à ce point de vue la riche collection des XVe-XVIe siècles, on constate que les expressions qui se retrouvent beaucoup plus tard ont toutes ce sens. C'est le cas de : *avaleur de pois gris, avaleur* ou *mangeur de charrettes ferrées, gasteur* ou *batteur de pavé, batteur de fer, arracheur de dents* 'menteur', *meneur* ou *metteur de poules à pondre* ou *à couver*, etc. Généralement le sens figuré est déjà dans la locution verbale primitive.

Par contre ont une durée éphémère les « métiers » qui ne sont pas dérivés d'une expression toute faite. C'est ce qui explique probablement la disparition rapide des créations originales de Rabelais (*cuideurs de vendanges, ravasseurs des cas de conscience, ramoneurs d'astrologie*, etc.) ou de Scarron (*renverseuse d'États, renifleur de petun, enfanteur de merveilles* et autres). Leur comique vient d'une juxtaposition paradoxale d'éléments disparates dont l'effet ne peut être que momentané.

---

[13] De nombreux dérivés plaisants de ce genre figurent dans l'ouvrage de E. PICHON, *Les principes de la suffixation en français*, Paris 1942, pp. 59-68. Le procédé est encore rare dans l'ancienne littérature facétieuse, voir cependant notre *Langue et style du théâtre comique*, t. I, pp. 357 ss.

4. UN PRÉNOM SPÉCIALISÉ DE LA FARCE : JEAN ET CONSORTS

Avant l'introduction sur la scène française de personnages aux noms recherchés — antiques ou italiens — le théâtre comique français était plus modestement peuplé par des Jean et des Jeannette, des Guillaume et des Guillemine, des Pernet et des Péronnelle. Contrairement à la *commedia dell'arte*, ces prénoms ne correspondaient généralement pas à des types constants, ayant une physionomie morale, un costume et un langage propres. Ils pouvaient être utilisés pour divers caractères et, inversement, ceux-ci pouvaient porter des noms variés : le bravache était appelé Thévot, Colin ou Mimin, le mari trompé — Martin, Macé, Jouan. Cependant la popularité de certains personnages leur confère déjà quelque stabilité ; des cycles se forment autour de Pathelin, Mimin, Thévot ou Jean Jennin ; le public commence à leur rattacher des traits caractéristiques. Sans avoir une personnalité bien individualisée, ces types oscillent entre le particulier et le général.

Le prénom qui revient le plus souvent sur la scène, comme dans la vie, est celui de Jean [1]. Il apparaît sous plusieurs formes graphiques ou régionales : *Jean, Jehan, Jouan*, etc. On peut aussi l'élargir de diverses manières, comme l'adjonction d'un suffixe diminutif : *Janot, Jenin (Genin), Jehennin*, le redoublement : *Jean Jean, Jean Jenin* aussi *Jean double* ou *Jean double- ment* de même valeur, et enfin une sorte de composition tautologique : *Jean Dada, Jean le Sot* [2], etc. Le deuxième élément renforce la valeur expressive du prénom et, parfois, le spécifie : *Jean Bonhomme* et *Jean du*

---

[1] Cf. G. DOUTREPONT, *Les types populaires de la littérature française*, 2 vol., Bruxelles 1928 (index, s. v. *Janot* et *Jean*), travail qui concerne surtout le XVIIe et le XVIIIe siècle, et du même *Les prénoms français à sens péjoratif*, Mém. de l'Acad. Roy. de Belgique, 2e série, t. XXVII, 1928. Un article de J. G. WIGGISHOFF (Intermédiaire des chercheurs et des curieux, XLIV, 1901), cité dans ce dernier ouvrage p. 57, donne un relevé des noms rencontrés fréquemment dans les registres de quelques paroisses du XVe au XVIIe siècle : *Jean* y apparaît 481 fois, *Pierre* — 279, *Nicolas* — 160, *Jacques* — 159, etc. Cf. aussi P. GUIRAUD, *Les structures étymologiques du lexique français*, Paris 1967, p. 107 ss.

[2] *Jean le Sot* est le protagoniste de nombreux contes populaires, cf. Ariane DE FÉLICE, *Un type traditionnel dans une farce française du Moyen Âge : Le personnage de l'Écervelé tel qu'on peut l'expliquer à l'aide du cycle folklorique de Jean le Sot* in *Die Freundesgabe*, Schloss Bentlage bei Rheine, I, 1964, pp. 94-114.

Bois symbolisent le paysan, *Jean Cocu, Jean Cornet* ou *Janin Cornette* —
le mari trompé.

De règle péjoratifs, les types incarnés par Jean et ses variantes sont :
1) le betâ naïf, 2) le faux savant, 3) le prêtre paillard, 4) le mari berné,
5) le fac-totum. Deux traits apportent de l'unité dans cette variété : ce
sont la bêtise et l'ignorance. Elles caractérisent aussi bien l'enfant mis aux
écoles que le magister appelé à l'instruire ou le mari facile à tromper.

Ces traits semblent dus à la dégradation sociale du prénom lui-même.
Celui-ci était, en effet, donné surtout à des paysans, cf. :

Le Badin

Les aucuns m'appellent Bonhomme
Les autres m'appellent Janot.

Le Mary

Janot est le vray nom d'un sot.

ou
(*Le Badin qui se loue*, ATF I, p.182)

Mais moy qui suis Jean Bonhomme
J'endure tout et n'en dy rien.

(*Comédie de chansons*, ATF IX, p. 143)

Dans une pièce du XVIIIe siècle *Janot* aura pour père *Rustaud*[3].

Or, dans la société féodale où le paysan était quantité négligeable,
la valeur sémantique de *Jean* évolue analogiquement à celle de *rustre*
venant de *rusticus*, de *manant* primitivement 'demeurant en place, villageois'
ou de *vilain*, d'abord 'habitant d'un domaine'.

Un reste de l'ancienne valeur combinée avec la niaiserie apparaît dans
le personnage du jeune villageois aussi sot qu'ignare : tel est Jenin qui se
demande qui il est, n'étant « point le fils sa mere, Aussi n'est point le fils
son pere » ; il en arrive à conclure qu'il est le « fils de rien » (ATF I, p. 370).
Un autre Jenin échoue à l'examen pour ne pas savoir répondre à l'official
« qui estoit le pere des quatre fils Haymon » (*Rec. Cohen*, n° XI).

A côté de *Janot*, qui incarnera l'imbécile surtout à partir du XVIIe
siècle, la forme du prénom la plus fréquente pour indiquer le sot de l'ancien
théâtre est *Jenin*. À la fin, il devient presque un appellatif :

Quel glorieux sot ! Quel Jenin !

(*Sottie des Coppieurs et Lardeurs*, Trep. I, n° VIII, v. 256)

Jenin intervient aussi dans plusieurs combinaisons tautologiques,
comme *Jenin Turelurette*, symbolisant la bêtise et la poltronnerie dans les
Droits Nouveaux de G. Coquillart ou *Jenin Landore* de la farce dont il est

---

[3] G. DOUTREPONT, *Les types populaires*, II, p. 89.

le protagoniste (ATF II, p. 11). Selon GODEFROY *landore* signifie 'niais'
lambin, lourd d'esprit, cocu'. Dans une autre version de la même farce
(*Rec. Cohen*, n° L), le personnage porte le sobriquet incompréhensible
de *Jenin a Paulme*.

Le sens de 'lambin, paresseux' apparaît d'ailleurs dans un sous-groupe
comportant des sobriquets tels que : *Jehan de Loisir* (*Les Malcontentes*,
Rec. Leroux IV, n° 60, p. 7) et *Jehan de Lagny*, nom du badin dans la farce
de ce nom, employé aussi plus largement, cf. : « Vela ung bon Jehan de
Lagny » (*Farce du Retrait*, *Rec. Leroux* III, n° 53, p. 37). LITTRÉ glose
Jean de Lagny 'qui n'a point de hâte' et ajoute « Locution qui vient, dit-on,
de ce que, dans son expédition de 1417, le duc de Bourgogne serait resté
deux mois à Lagny, sans avancer ni reculer ».

Un autre sens dérivé de 'idiot ignare' est celui de 'faux savant'. On
a déjà entrevu quelques exemplaires de ce type parmi les imbéciles destinés
à la prêtrise : *Jenin, fils de Rien* qui doit « aller de bref en quelque escolle »
et le *Clerc qui fut refusé à être prêtre pour ce qu'il ne savait dire qui était
le père des quatre fils Aimon*. Le personnage du pseudo-savant le plus
achevé est incarné par *Jehan Jehennin vrai prophète* (*Trep.* II, n° VII)
qui, après avoir étudié les arts libéraux, la médecine et les deux droits,
est en train de faire sa théologie. Ce grand « savant » qui sait trois fois
plus « Que les docqueteurs de Paris » (vv. 32-33) et aspire aux plus hautes
dignités de l'église, n'a pas pu apprendre les rudiments du latin et arrive
à peine à écrire en français.

Une forme spécialement appropriée à dénoncer le savant est *Joannes*
ou *Johannes*. Dans l'*Apologie pour Hérodote*, H. Estienne constate « Quant
a Joannes c'est un peu autre chose, car quant on dit « C'est un Joannes »
cela vaut autant que ce que maintenant on appelle un pédant » [4].

Dans la moralité de *Science et Anerie*, satire violente contre l'ignorance
et les abus des gens d'église, le clerc d'Anerie se présente ainsi :

> J'auray nom Johannes ...
>
> (*Rec. Fournier*, p. 338)

Le faux pédant porte souvent avec lui un objet symbolique — l'écritoire :

> Se me dit ung : « Adieu Joannes,
> N'oublie pas ton escriptoire »...
>
> (Coquillart, *Mon. du Puits*, II, p. 245).

Un représentant célèbre du même type, Me Mimin, s'en « va a la guerre
atout sa grant escriptoire ». Au XVIIe siècle, le prénom se dégrade, on le
donne à des valets d'université, aux domestiques de professeurs.

Une nuance accessoire qu'on trouve dans le même personnage est celle

---

[4] Ed. RISTELHUBER, I, p. 254.

de paillardise. Un Johannes qui recherche la compagnie des filles de mœurs peu farouches intervient dans le *Débat de la Nourrice et de la chambrière* (ATF II, p. 417). Son sosie de la farce des *Chambrières* (*ibid.*, p. 435) est appelé *Domine Johannes*. Prêtre à « sainct Severin », il s'amuse à employer les paroles du bréviaire dans un sens équivoque.

Ce dernier personnage appartient déjà au type du prêtre débauché. Son sobriquet n'est sans doute qu'une latinisation de *messire Jean*, nom générique du curé paillard, souvent amant de la femme adultère. Celui-ci intervient dans de nombreuses farces, entre autres dans celles déjà citées de *Jean de Lagny* et de *Jenin, fils de Rien* ; le curé qui marie Renaud « a la volée » (*Rec. Cohen*, n° VII) porte également ce nom, celui du *Savetier qui ne répond que chansons* (n° XXXVII du même *Recueil*) est affublé, en plus, d'un sobriquet évocateur et s'appelle *messire Jehan Friponnet*.

Cependant la fonction la plus importante de notre prénom est celle qui le fait attribuer au personnage central de l'ancienne farce. Il incarne, par excellence, le mari bonasse, trompé par la femme infidèle et rusée. Celui-ci peut être appelé *Jean*, même lorsqu'il porte un autre prénom : Jaquinot de la farce du *Cuvier* que sa belle-mère interpelle : « Mon amy Jehan ? », s'écrie indigné :

> Jehan, vertu sainct Pol, qu'est ce a dire?
> Vous me accoustrez bien en sire,
> ....[u]
> D'estre si tost Jehan devenu,
> J'ay non Jacquinot ; mon droit nom
> L'ignorez vous ?

et celle-ci explique :

> Mon amy non ;
> Mais vous estes Jehan marié.[5]

(éd. Philipot, *Trois farces*, vv. 49-56)

On voit que pour la belle-mère Jehan n'est pas un nom individuel, mais un nom-type. Dans l'hagiologie facétieuse, les maris trompés avaient pour patron saint Jean, cf.

> Saint Jouhan cocu, *ora pro nobis*...

(*Les trois martyrs, Rec. Cohen*, n° XL, v 53)

Un personnage, nommé *Jan de Coucage* fait partie de « la confrairie de S. Jan, des bon Jans » dans *la Tasse*, comédie de Benoët du Lac de la fin du XVIᵉ siècle[6]. La forme *Jouan* semble appartenir à l'Ouest. Dans *les*

---

[5] *Jehan marié* se retrouve dans *les Serées* de G. Bouchet, éd. ROYBET, II, p. 76, cité par PHILIPOT, *Trois farces*, p. 51.

[6] Cf. B. C. BOWEN, *Les caractéristiques essentielles de la farce*, p. 28 et 47 et dans ce recueil « Un procédé comique de la farce ».

Baliverneries de Noël du Fail le « villageois cocu » dit « ma femme a beau monter aux eschauffaux, je suis des Jouhans »[7]. Un autre surnom passé dans la tradition comique est celui du *pauvre Jean*. Dans son *Grand Parangon*, Nicolas de Troyes dit à plusieurs reprises en parlant d'un mari trompé « le pouvre Jehan » (n° CLXXVII, v. 125) ou « le pouvre Jehan de mary » (n° CLXIX, v. 50, 72)[8]. Le *pauvre Jean* est le protagoniste de la farce célèbre de même nom (*Trep.* I, n° VII). Il y est entouré de trois personnages portant également des noms symboliques : *Affriquée* ou la coquette, *Glorieux*, jeune élégant qui n'épargne pas son argent, *Sot* qui commente le jeu et chante la chanson :

> Hé ! Jouan, Jouan de Nivelle,[9]
> Qui a sa femme perdue
> En la dance par my la rue,
> Je ne scay qui l'a ammenée.

(Rec. Trep. I, n° VII, vv. 452-455)

Le *pauvre Jean* figure en outre dans *les Deux Savetiers* (*Rec. Fournier*, p. 210). Il est question d'un « povre Jouan » dans celle de *Léger d'argent* (*Rec. Cohen*, n° XXV, v. 129). Enfin le sobriquet de « povre Jehannot » est donné à un mari dont le vrai prénom est Bertrand dans le n° XXIV du même *Recueil*.

Le type achevé du mari soumis jusqu'à la stupidité est personnifié par *Jehan Jehan* ou *Jehan Jehennin* de la farce du *Pâté* (n° XIX du *Rec. Cohen*). Pendant que la femme prend du bon temps avec le curé, Jehan Jehennin exécute docilement l'ordre qui lui a été donné de « chauffer la cire ». Dans une imitation anglaise de la pièce par John Heywood[10] le mari s'appelle *Johan Johan* et le curé *sir Johan*, c'est-à-dire *messire Jean* ; le texte français ne connaît que *messire Guillaume*. De même que l'imbécile de la farce, le mari trompé porte souvent le nom de Jenin. Bête comme le premier, il est de plus soupçonneux et jaloux, ce qui ne l'empêche pas de croire à tout ce qu'on veut lui faire entendre. L'un des maris à qui « leurs femmes font accroire de vecies que ce sont des lanternes » (*Rec. Cohen*, n° XV) s'appelle *Jenin* ; un chaudronnier s'adresse ainsi à l'homme ayant fait avec sa femme un pari de silence :

---

[7] Cité par E. PHILIPOT, *Le style et la langue de Noël du Fail*, Paris 1914, p. 133.

[8] Ed. K. KASPRZYK, Soc. des Textes Fr. Mod., Paris 1970.

[9] Voir COLSON, *Le « cycle » de Jean de Nivelle, chansons, dictons et types populaires*, 2e éd. 1904 ; Mlle E. DROZ (*Trep.* I, p. 119) propose de tirer ce nom de *nyvelet* 'sot, niais', attesté dans plusieurs textes.

[10] Sur le rapport des deux textes voir T. W. CRAIK, *The True Source of John Heywood's « Johan Johan »*, MLR, XLV (1950), pp. 289-295, cf. aussi ci-dessous, « Notes sur quelques pièces... ».

> Hau, patron,
> Estes vous sourt, muet ou sot...
> Hau, Jenin...
>
> (ATF II, p. 111)

Dans ce sens également *Jenin* est devenu un appellatif :

> Ce n'est qu'un Jenin...
> De ces malureulx jaloux.
>
> (*F. du Rapporteur, Rec. Leroux* II, n° XXX, p. 18)
>
> Pourroit il estre vrai ou feint(e)
> Que ma femme m'ay faict Jenin ?
>
> (*F. du Mari jaloux*, ATF I, p. 132)
>
> Mais en parlant cy entre nous,
> Te feroit elle point janin
> Ta femme ?
>
> (*Deux hommes et leurs deux femmes, Picot-Nyrop*, n° V, vv. 60-63)

Jenin est renforcé par un sobriquet dans le surnom de *Jenin Cornet* (*F. du Goguelu, Rec. Cohen*, n° XLV), *Jenin Landore* (cf. ci-dessus), etc.

Les autres emplois typiques de *Jean* et consorts sont rares. À signaler encore celui de l'homme à tout faire qui appartient à la tradition populaire, cf. le wallon *Tch'han fêt-tot* [11]. Le personnage de *Jean qui de tout se mesle* apparaît dans la farce de ce nom [12] ; il est question de *Genin qui de tout se mesle* dans la sottie de *la Mère de ville* (*Rec. gén. sotties* III, n° XXIII, v. 146). Il faut peut-être rattacher à ce groupe *mesire Jehan Virelinquin*, prêtre et avocat

> Trop plus congnoissant qu'un turquin
> En l'art et scavoir de pratique.
>
> (*Jean de Lagny, loc. cit.*, p. 22)

Quelques autres sobriquets formés avec *Jean*, comme *Jenin Patin*, *Jenin a Paulme*, sont difficiles à classer ; *Jehan du Quemin*, qui est mentionné au v. 896 de *Pathelin* et dans lequel on a voulu voir un personnage réel [13], est peut-être de même aloi et indique *Jean du Chemin* ou *Jean Tout-le-Monde* : cf. *Jean des Vignes* ou *Jean du Bos* 'paysan'.

Le correspondant féminin de *Jean* — *Jehanne* ou *Jehannette* — n'a généralement qu'une fonction. Il incarne la femme-type de la farce, qui méprise son mari et le trompe à la première occasion. *Janette* fait pendant

---

[11] Cf. J. HAUST, *Dictionnaire liégeois*, s. v. *Dj(i)han, Tch'an*. Les autres emplois du prénom dans le dialecte wallon sont *Djihan tot plat* ou *tot court* 'pauvre sire', *Tch'han Maroye* ou *Macoye* ou *Tch'han potadge* 'mari benêt qui s'occupe du ménage'. Je remercie M. O. JODOGNE de m'avoir signalé ces exemples.

[12] Éditée par P. AEBISCHER, *R. XVIe* XI, 1924, p. 131.

[13] Voir Rita LEJEUNE, *Pour quel public la farce de Pathelin fut-elle rédigée ?* in *Romania* LXXXII (1961), p. 514 s.

à *Janot*, dans l'une des pièces découvertes par M. P. AEBISCHER [14]. Le mari y est bête au point de se laisser convaincre que l'amant de sa femme est un ange qui va le mener en Paradis. L'une des « femmes qui font refondre leurs maris » (ATF I, p. 63) est appelée *Jennette* ; la femme « tendre au cul » de la farce de *Deux hommes et leurs deux femmes* (*loc. cit.*) porte le prénom *Jehanne*. Une autre femme de même tempérament est nommée *Jehanne Turelure* dans *le Meunier* d'André de la Vigne (*Rec. Fournier*, p. 162).

Quant à *Jean* et ses variantes, ils personnifient en premier lieu les types qui tiennent la place la plus notable dans l'ancien théâtre comique : l'imbécile ignare et le mari trompé. *Janot* qui fera une brillante carrière au XVIIe et au XVIIIe siècle appartient à la même lignée.

---

[14] *R. XVIe*, *loc. cit.*, p. 143.

IV. IDENTIFICATIONS, LOCALISATIONS, DATATIONS

1. OÙ EN EST LE PROBLÈME DU LIEU D'ORIGINE DE « MAÎTRE PIERRE PATHELIN »

Les questions de la date, de la paternité et du lieu de composition du chef-d'œuvre de la farce médiévale ont depuis longtemps préoccupé les chercheurs. Il est à peine besoin de rappeler ici les débats qui opposèrent dans les années 20 et 30, d'une part, R. T. HOLBROOK et L. CONS et, de l'autre, Mario ROQUES. On sait que HOLBROOK, à qui on doit la fondamentale *Étude sur Pathelin* (1917) et l'édition de la farce, réputée jusqu'ici la meilleure [1], a eu la malencontreuse idée de reprendre à son compte l'attribution à Guillaume Alecis, proposée par L. CONS, dans son livre, *l'Auteur de Pathelin* (1926). Pour en fournir la preuve, il s'était servi des fameuses « concordances numériques », ce qui lui valut une réponse mordante de Mario ROQUES [2].

Ces débats, auxquels trop de passion et d'idées préconçues avaient été mêlées, n'ont du reste rien résolu. Si on a pu se mettre d'accord sur la date de la pièce, probablement 1464 et, en tout cas, avant 1469, les problèmes de sa paternité et de son origine — parisienne ou normande — continuent à être ouverts. Sans prétendre les trancher, nous aimerions ici revoir et peser à leur juste valeur les principaux arguments avancés pour appuyer l'une ou l'autre thèse, compte tenu des contributions plus récentes [3].

Les points discutés peuvent être groupés sous cinq chefs : 1) traits

---

[1] CFMA 1924 ; la 2e édition que HOLBROOK n'avait pas eu le temps d'achever, parue en 1937 avec quelques compléments de Mario ROQUES, a été plusieurs fois réimprimée. Comme l'a démontré M.O. JODOGNE dans ses *Notes sur Pathelin* in *Festschrift W.v. Wartburg*, Tübingen 1968, pp. 431 ss., HOLBROOK avait sans nécessité supprimé des *e* muets, indiqué des diérèses inutiles, corrigé des rimes « imparfaites ». Les éditeurs plus récents, B.C. BOWEN (*Four Farces*) et C.E. PICKFORD (« Petits classiques Bordas », 1967), ont pris le parti de reproduire telle quelle l'édition Levet, ce qui leur a évité les erreurs de HOLBROOK, mais n'a pas fourni l'édition critique dont on aurait bien besoin.

[2] Voir surtout R.T. HOLBROOK, *Guillaume Alecis et Pathelin*, Univ. of California Press, Berkeley 1928 et Mario ROQUES, *D'une application du calcul des probabilités à un problème d'histoire littéraire* in *Romania* LVIII (1932), pp. 88-99. Soit dit en passant, utilisé autrement que ne l'a fait HOLBROOK, le calcul des probabilités sert bien aujourd'hui à identifier les auteurs d'œuvres anonymes.

[3] Y compris ceux contenus dans la version précédente de cet article, BHR XXIV (1962), pp. 273-281.

linguistiques ; 2) noms de personnes et de lieux ; 3) valeur et usage des monnaies ; 4) coutumes et institutions juridiques ; 5) attribution de la pièce à Guillaume Alecis. Reprenons-les tour à tour.

Tous ceux qui ont eu affaire de plus près aux textes dramatiques du Moyen Âge savent que les faits de langue ne permettent point, à eux seuls, de déterminer la région où ils ont été confectionnés. Plus spécialement, des traits picards ou normands se rencontrent dans des pièces que des données extérieures font situer à Paris[4]. Cependant une certaine condensation des particularités régionales, surtout venant s'ajouter à d'autres indices, n'est point à négliger.

Le texte de *Pathelin* comporte plusieurs traits phonétiques qui peuvent être rapportés à la Normandie. Ainsi on a aux vers 19-20 la rime *piece — despesche*[5], qui atteste le traitement normanno-picard du groupe *t + yod*. La réduction de *ye* à *e*, confirmée par la graphie *Pere = Pierre* (v. 218, 584) et les rimes *Pierre : tromperre* (vv. 759-760), *Pierre : guerre* (vv. 1254-1257) ; *Pierre : erre* (vv. 1266-1267), *clere : Pierre* (vv. 1528-1529), est typique pour l'Ouest[6].

Oi est prononcé *e*, comme le montrent les rimes *maire : grimaire* (vv. 16-17), *fois : fais* (vv. 292-293), *paye : voye* (vv. 341-342). L'auteur lui-même semble avoir considéré cette prononciation comme normande, puisqu'il emploie des rimes de cette sorte dans son passage patois (vv. 899-900). La même prononciation est attestée par les équivoques tirées des lettres de l'alphabet dans la farce de *Pernet qui va à l'école*, dont nous avons parlé ci-dessus (II, 2). Il est vrai que cette manière de prononcer *oi* était en expansion sur une vaste étendue au Nord de Paris. Une autre prononciation qui paraît plus caractéristique pour l'Ouest ressort de la graphie et

---

[4] Comme *les Maux de Mariage*, *Anc. poés. fr.* II, pp. 5 ss., *les Femmes qui apprennent le latin*, n° XVII du *Rec. Cohen*, etc.

[5] Telle est la leçon originale, corrigée pour la rime par HOLBROOK, voir O. JODOGNE, *art. cité*, p. 436.

[6] Voir C. Th. GOSSEN, *Französische Skriptastudien. Untersuchungen zu den nordfranzösischen Urkundensprachen des Mittelalters*, Wien 1967, pp. 132 ss. En particulier, la forme *pere, perre* égale à *Pierre* ou *pierre* dans les documents du Nord- et du Sud-est du domaine français. La version de *Pathelin* du ms. fr. 25467, nettement normande présente systématiquement la graphie *Perre*. Il n'y pas plus de raison de voir dans *saint Pere* le jeu de mots *Pierre/Père*, comme propose de le faire Mme Rita LEJEUNE, *Pour quel public la farce de Maistre Pierre Pathelin a-t-elle été rédigée ?* in *Romania* LXXXII (1961), p. 510. Le jurement par « sainct Pierre de Romme », cité dans ce contexte, était des plus banals, surtout rimant avec *homme* : cf. entre autres *Trep.* I, n° I, vv. 87-90 ; *ibid.*, n° V, vv. 162-164 ; *Rec. Cohen* n° XIX, vv. 277-278 ; n° XLIX, vv. 181-182 ; n° LIII, vv. 558-559.

surtout de la diérèse des finales *-oire* dans *pillouëres* (v. 643) et *machouëres* (v. 644) [7].

La prononciation du suffixe *-aige*, assurée par les rimes *corsaige : naige*, ou plutôt *neige* (vv. 163-164) et *froumaige : aurai-ge* (vv. 443-444), était répandue dans le Nord-est et dans une partie des provinces de l'Ouest.

Au lieu de *eu*, venant de *o* fermé en syllabe libre, on a *ou* dans *merdoulx* rimant avec *doulx* (vv. 1018-1019), fait fréquent en Normandie et dans une partie de la Picardie [8]. Il n'y a rien à tirer de la fermeture du même *o* en position entravée dont fait état L. CONS en citant la rime *orme : pour me* (vv. 13-14). Au XVe siècle des formes du type *ourme* se rencontraient un peu partout. Quant aux nasalisations normandes qu'il allègue également — *ombliez* à l'intérieur du vers 94 ne prouve rien, et *bronstier* est une forme inutilement introduite par HOLBROOK pour rimer avec *monstier*, à la place de *brutier* que présentent presque toutes les éditions anciennes [9].

La rime *larmes : fermes* (vv. 495-496) peut être interprétée dans deux sens, soit comme une preuve de la prononciation parisienne, soit, au contraire, comme un trait du dialecte normand, où *ar* était prononcé *er*.

Enfin la diphtongue *ui* rime souvent avec *i* — *dire : instruire* (vv. 1378, 1379) et *esbaubely : ly* (vv. 988-989). On a aussi une confusion constante de *ly* et *luy* qui semble largement populaire, mais que PHILIPOT croyait répandue surtout dans les textes normands [10]. Ailleurs *ui* rime avec *u* — *rude : cuide* (vv. 673-674), phénomène propre à l'Ouest et à la Normandie [11].

Pour la morphologie on peut signaler la contraction de *avez-vous* en *av'ous* (v. 622 et 1256) qui est propre surtout aux textes normands [12]. Le subjonctif *donge* (v. 720, rime : *songe*) appartient aux dialectes de l'Ouest [13]. Il en est de même de la forme *serrez* (rime riche : *verrez*), du v. 139, pour *vous (as)siérez*, qui atteste la réduction de *ye* à *e* qu'on vient de voir dans *Perre*, cf. aussi *si me serray* au v. 3 de la sottie rouennaise des *Menus Propos* (*Rec. gén. sotties* I, p. 65) et *sera* (*siéra*) dans celle des *Trois galants et Phlipot* (*ibid.* III, p. 181, v. 195), qui est également de Rouen.

Entre vous pour 'vous' (v. 317) est énuméré par PHILIPOT parmi les

---

[7] Cf. notre *Langue et style du théâtre comique*, t. I, pp. 29 s.

[8] P. FOUCHÉ, *Phonétique historique du français*, t. II, Paris 1958, p. 206.

[9] O. JODOGNE, *article cité*, p. 437.

[10] *Remarques et conjectures sur le texte de Pathelin* in *Romania* LVI (1930), p. 581.

[11] Voir A. KÜPPERS, *Über die Volkssprache des XIII. Jhds in Calvados und Orne*, Thèse Halle, 1889, p. 11, et Ch. GUERLIN DE GUER, *Le parler populaire de la commune de Thaon (Calvados)*, Paris 1901, p. 65.

[12] Cf. L. CONS, *op. cit.*, pp. 22 s. et la littérature indiquée *ibid.*

[13] C. Th. GOSSEN, *op. cit.*, pp. 129-131.

traits normands de *Me Mimin étudiant*, de même que *l'en* pour *l'on* (v. 179, 529, 694, 1047, etc.) [14]. La dernière forme pourrait cependant avoir été introduite par l'imprimeur [15].

La farce contient aussi plusieurs normandismes de vocabulaire. *Cabasser* 'chiper, voler' (v. 3 et 1140) est attesté surtout chez des auteurs normands, en particulier dans l'expression *cabasser et amasser* (v. 3), cf. « L'un cabasse, l'autre amasse » du *Débat de l'homme et de la femme* de Guillaume Alecis (éd. PIAGET-PICOT I, p. 137, v. 73) et « Que vaut doncques amasser, Entasser, cabasser » de la moralité d'*Aucun et Connaissance* (ms. fr. 25467, fol. 98 v°).

Flageoler 'lambiner' (v. 1448) et 'marmotter' (v. 733), n'a ces sens figurés qu'en Normandie, cf. *Me Mimin étudiant* (*Trois farces*, v. 107) et *Jeninot qui fit un roi de son chat* (ATF I, p. 300).

L'exclamation *aga*, impératif abrégé d'*agarder*, forme dialectale de *regarder*, a été selon MOISY très usitée en Normandie [16]. Cependant elle a dû pénétrer dans le langage parisien : Th. de BÈZE en dit dans son traité latin de prononciation française : « Parisiensibus vulgo reliquitur » [17].

Le mot *bergerie* signifie dans certains dialectes de l'Ouest 'troupeau de bêtes à laine, brebis', cf. FEW et aussi la farce normande de *la Bouteille* : « En l'estable de bergerye » (*Rec. Leroux* III, n° 46, p. 21). Il pourrait avoir ce sens au v. 1457 de *Pathelin*, lorsque le drapier dit : « Je luy parle de drapperie, et il respond de bergerie ! ». En effet, l'avocat vient de parler de « brebiailles et moutons » (v. 1438).

Enfin *riace* (v. 765) paraît représenter un type de noms d'agents en *-asse* qui a été productif dans les dialectes de l'Ouest [18].

La formule de jurement par *le peril de mon ame* (v. 358) a été relevée par PHILIPOT dans la farce normanno-picarde de *Frère Guillebert* et chez un conteur normand du XVIIe siècle [19]. Elle ne se retrouve pas ailleurs. De même les jurements composés avec *male feste* n'ont pas été, à notre connaissance, employés en dehors de la Normandie : on en a des exemples dans la farce normande du *Savetier et de la laitière* (*Trep.* II, n° III, v. 95) et dans la farce des *Trois amoureux de la croix* (*Rec. Cohen*, n° VIII) qui contient plusieurs rimes de l'Ouest.

---

[14] *Trois farces*, p. 76.

[15] Le remanieur auquel on doit la version du ms. 25467 remplace constamment *on* de l'édition Levet par *l'on*.

[16] C'est également l'opinion de PHILIPOT, *Trois farces*, *loc. cit.*

[17] Cité par L. SAINÉAN, *La langue de Rabelais*, t. II, p. 150 ss.

[18] Sur ce type de formations voir H. LEWICKA, *op. cit.* I, pp. 150 ss.

[19] *Remarques et conjectures*, p. 568.

Outre ces traits dialectaux, le baragouin normand de Pathelin mérite
aussi quelque attention. Tout d'abord son emploi comique n'a aucun
rapport avec la région d'origine de la farce. Comme les autres jargons
patois du délire de Pathelin, il a pu être destiné à faire rire le public de Paris
aussi bien que celui d'une autre grande ville, même normande. On a déjà
parlé de *Pernet qui va à l'école*, pièce rouennaise qui tire ses effets comiques
de la prononciation normande de l'imbécile ; la langue des parents villageois de la farce de *Me Mimin*, également de Rouen, est saupoudrée de
normandismes. Le procédé qui consistait à employer diverses « touches
dialectales » était conventionnel dans le théâtre du Moyen Âge et de la
Renaissance. Comme nous l'avons indiqué ci-dessus (III, 1), il y avait
même des acteurs spécialisés dans la récitation des passages en patois
et en latin de cuisine. Plus doué que les autres, l'auteur de *Pathelin* n'a
fait qu'admirablement utiliser un procédé stéréotypé [20] ; il n'y a rien à en
tirer pour la localisation de la farce. L'idée d'y voir un reflet des « quatre
nations » de l'Université de Paris [21] est aussi ingénieuse que peu convaincante.

L'analyse linguistique des jargons de *Pathelin* n'en est pas moins in-
structive. Contrairement aux autres échantillons « patois », purement
gratuits, sauf le picard qui, d'ailleurs, est à peine marqué, le passage normand
(vv. 886-899) est d'une justesse frappante. L'auteur ne s'est pas contenté
d'y accumuler quelques traits bien typiques, tel le *k* au lieu du *š* français,
ou correspondant à *eu*, *e* à *oi*. Il emploie une forme bien normande comme
foureux pour *foireux*, il scande *mïel*. On sait que PHILIPOT, excellent connais-
seur des textes de l'Ouest, a vu dans cette diérèse une preuve que l'auteur
de *Pathelin* possédait à fond le dialecte de la Normandie [22].

Le passage fait allusion à plusieurs traditions propres au pays normand.
Tout en laissant de côté les fantaisies de L. CONS sur une visite à Saint-
Leufroy de saint Gabriel et de saint Michel, il n'est guère besoin de rappeler
ce que le culte de ce dernier surtout était en Normandie. L'histoire du
miracle de saint Gerbold, qui n'a sans doute rien à voir avec l'abbé du
même couvent et qui est particulièrement bien amenée par le prétendu
mal de Pathelin, témoigne de la bonne connaissance d'une légende ba-

---

[20] Comme il l'a fait avec d'autres types de comique traditionnels, voir Jean FRAP-
PIER, *La farce de « Maistre Pierre Pathelin » et son originalité* in *Mélanges de littérature
comparée et de philologie offerts à Mieczysław Brahmer*, Varsovie 1967, pp. 207-217,
et R. LEBÈGUE, *Le théâtre comique en France de Pathelin à Mélite*, Paris 1972, pp. 39-46.

[21] R. LEJEUNE, *art. cité*, pp. 504 ss.

[22] *Remarques et conjectures*, pp. 573 s.

yeusaine. Jehan du Quemin ou du Chemin, qui n'est probablement pas plus identique à l'abbé de Saint-Leufroy [23], apparaît comme un personnage proverbial, à côté de Vincent Faulce Chose dans *les Menus Propos*, texte rouennais, datant de 1461 [24]. Un autre personnage nommé dans *Pathelin* et non identifié jusqu'ici, Jehan de Noyon (v. 1519), se trouve dans un texte lui-aussi rouennais, il est vrai tardif, signalé par PHILIPOT et semble représenter également un sobriquet traditionnel en Normandie [25]. La supposition de U. T. HOLMES [26] qu'il s'agirait de Jehan de Mailly, évêque et comte de Noyon, mort en 1473, est improbable et de plus superflue. En effet, ce nom est employé dans un contexte analogue à celui où intervient « l'Écervelé ». Voulant prouver au drapier qu'il se méprend sur sa personne, Pathelin dit :

> Moy de moy ? Non suis, vraiement ;
> Ostés en vostre opinion.
> Seroit ce point Jehan de Noyon ?
> Il me resemble de corsage.

(vv. 1517-1520)

et quelques vers plus haut :

> Je vous diray, sans plus attendre,
> Pour qui vous me cuidés prendre.
> Est ce point pour Esservellé ?
> Voy ! nennin, il n'est point pelé,
> Comme je suis dessus la teste.

(vv. 1508-1512)

On peut donner raison à Mlle A. DE FÉLICE lorsqu'elle juxtapose les deux derniers personnages avec Jean le Sot, protagoniste d'un cycle folklorique bien connu, et qu'elle voit dans Jehan de Noyon un nom du type de Jehan de Nivelle [27].

Les tentatives d'identifier d'autres noms propres mentionnés dans la farce, semblent plutôt vaines. Ainsi maistre Jehan (v. 636, 646, 667), médecin censé avoir donné à Pathelin des suppositoires [28], est un nom typique de

---

[23] Pour ces identifications voir L. CONS, *op. cit.*, pp. 156 ss.

[24] Voir E. PICOT, *Rec. gén. sotties* I, p. 82 et n. l.

[25] *Remarques et conjectures*, p. 583.

[26] U. T. HOLMES jr, *Pathelin, 1519-1522*, MLN LV (1940), pp. 106-108.

[27] A. DE FÉLICE, *Un type traditionnel dans une farce française du Moyen Âge: le personnage de l'Écervelé tel qu'on peut l'expliquer à l'aide du cycle folklorique de Jean le Sot* in *Die Freundesgabe*, Schloss Bentlage bei Rheine 1964, t. I, pp. 94-114.

[28] Les « morceaulx noirs et becuz » sont en effet des suppositoires, comme l'a bien vu O. JODOGNE, *article cité*, pp. 440-441. Le comique de la scène est augmenté du fait que Pathelin feint d'avoir à les prendre par la bouche.

faux pédant ou de charlatan. Le théâtre comique fourmille de *maistres* et de *messires Jehan*. Aussi la conjecture de Mme R. LEJEUNE qu'il s'agirait de Jehan d'Avis, médecin parisien connu vers 1460 [29], tout en étant plausible, ne s'impose pas. Il en est de même de sire Thomas (v. 768) qu'elle propose d'identifier avec le théologien Thomas de Courcelles [30]. Il serait peu vraisemblable que Pathelin ait eu l'idée de réclamer pour le confesser l'illustre prélat, en l'affublant en plus du titre de sire. En effet, loin d'être honorifique, celui-ci est à l'époque très dégradé, voire même ironique [31].

Dans cet ordre d'idées, la supposition de L. CONS au sujet de l'abbé d'Iverneaux (v. 806) n'est point à dédaigner. Le nom de cet abbé, dont Pathelin dans son délire se dit compère, pourrait bien être symbolique, comme celui du curé Jehan Langelé ou plutôt l'Engelé du *Testament de Pathelin* (*Rec. Jacob*, p. 190) [32] ou de l'abbé de Frévaux ou de Froictz Vaulx qu'on rencontre dans quelques sotties [33] et qui figure dans une énumération de sots des diverses provinces du *Mon. des Sots de la nouvelle bande* (*Anc. poés. fr.* III, p. 18) à côté du « puissant seigneur de froidure ». La dernière métaphore se retrouve, comme on sait, au v. 1374 de la farce, lorsque le juge, étonné de voir Pathelin s'occuper des affaires du berger, remarque « c'est toute froidure, c'est Peu d'acquest » [34]. Ainsi que l'abbé de Froidvaux, celui d'Iverneaux, même si ce nom est réel — il y eut une maison d'Augustins à Hiverneaux non loin de Paris — pourrait avoir appartenu à une abbaye facétieuse. À rappeler dans ce contexte plusieurs mentions de *cornards* (vv. 1170, 1294) et de *cornardie* (v. 448, 1487, 1527). Bien qu'ayant le sens habituel de 'sot' et de 'sottise', ces mots pourraient trahir un lien de l'auteur avec la fameuse confrérie théâtrale des Cornards ou Connards, établie dès le XIVe siècle à Rouen et à Evreux [35]. Quoi

---

[29] *Op. cit.*, pp. 511 s.

[30] *Ibid.*, pp. 513 s.

[31] Voir notre *Langue et style*, t. II, pp. 120-121. La même dégradation ressort d'ailleurs de l'étude de L. FOULET, *Sire, messire* in *Romania* LXXI (1950) et LXXII (1951) à laquelle se réfère Mme LEJEUNE.

[32] Cf. les « trois povres engelés » de la sottie des *Galants et du Monde*, *Rec. gén. sotties* I, p. 40, v. 361.

[33] Comme *le Prince des sots* de Gringore, *Rec. gén. sotties* II, pp. 131 ss., *les Sots ecclésiastiques*, *Trep.* I, n° XVI.

[34] Le personnage de *Peu d'Acquest* intervient dans la moralité de *Marchandise, Métier, Peu d'Acquêt, le Temps qui court et Grosse Dépense* (*Rép.*, n° 135), sans doute antérieure à *Pathelin*. C'est aussi le nom porté par l'un des coquins du n° LIII du *Rec. Cohen*.

[35] Sur les Connards voir PETIT DE JULLEVILLE, *Les comédiens en France au Moyen*

qu'il en soit, l'abbé d'Iverneaux constituerait, outre le *Parisius non sunt ova* du passage en latin, la seule allusion parisienne de la pièce.

Comme ces divers personnages, les acteurs de la farce portent, pour la plupart, des noms significatifs. Du reste, si l'auteur de *Pathelin* les a dotés de traits bien individualisés, il s'est conformé pour les nommer aux habitudes onomastiques du genre. Et on sait que la farce est peuplée par des Jenin, des Guillaume, des Macé et des Jaquet — synonymes de 'niais' [36], par des faux braves appelés Capitaine de Sot vouloir, Seigneur de Petit Pouvoir, des misérables — Mausouppé, Pain perdu, etc. [37]

On peut ne pas s'attarder sur Thibaut l'Aignelet, dont le nom ne demande pas de commentaire. Notons seulement que Thibaut est un prénom donné souvent aux paysans ; entre autres l'un des « enfants de Bagneux » (*Rec. Cohen*, n° XXVII) est appelé Thibault Chenevote.

Le nom de Guillaume Joceaulme, même s'il a réellement existé — les noms de famille *Josse, Josseaumme, Jousseaume*, etc. sont nombreux dans l'Ouest et le Nord de la France [38] — a été choisi pour sa valeur spéciale. À trois reprises le prénom de Guillaume est employé dans la farce comme une sorte d'appellatif. D'abord Pathelin explique à Guillemette quel est l'imbécile qui s'est laissé rouler :

> C'est un Guillaume
> Qui a seurnom de Joceaulme.

> (vv. 389-390)

Ensuite, le drapier lui-même, ne sentant pas le comique de la situation, s'écrie :

> Et tient il les gens pour guillaumes ?

> (v. 772)

Enfin, il y a peut-être double sens dans :

> Or s'en va il, le beau Guillaume.

> (v. 996)

Joceaulme, qui ne figure que dans une rubrique et dans le passage qu'on vient de citer, pourrait être tout simplement amené par la rime.

Le nom de Pathelin lui-même, que Mme Grace FRANK a peut-être raison

---

Âge, Paris 1885, pp. 246-255 ; cf. aussi PHILIPOT, *Six farces*, pp. 5 ss. et 83 ss. Il n'est pas sans intérêt de rappeler les liens des Connards avec la Basoche, voir en dernier lieu N. Z. DAVIS, *The Reasons of Misrule : Youth Groups and Charivaris in Sixteenth Century France* in *Past and Present*, febr. 1971, pp. 41-75.

[36] Cf. « Un prénom spécialisé », ci-dessus III, 4.

[37] L'index des personnages du *Rec.* Cohen fournit pas mal de ces noms évocateurs.

[38] A. DAUZAT, *Dictionnaire étymologique des noms de famille et prénoms de France* s. v. *Josse*.

de croire antérieur à la farce, est en rapport avec le sens de 'tromper par des paroles, par l'usage de divers langages' qu'on retrouve dans le verbe *pateliner*[39].

Quant à Guillemette, prénom des plus courants au XVe siècle, il semble le seul de la farce à ne pas être choisi avec une intention particulière[40].

Un dernier chapitre de l'onomastique pathelinienne est celui des noms de saints invoqués dans la farce. S'ils sont pour la plupart symboliques[41], ils ne permettent aucunes déductions sur le lieu d'origine de la pièce.

Ainsi le jurement cinq fois répété « (par) saint Jehan » est aussi le plus fréquent ailleurs. Entre autres, il est employé sept fois dans les 388 vers de *la Femme à qui son voisin baille un clystère* (n° XXVIII du *Rec. Cohen*) qui pourrait être picarde, trois fois dans *Mince de caire* (*ibid.*, n° XXII), appartenant à la même région, six fois dans la pièce normande du *Capitaine Mal-en-point* (n° XLIX), de moitié plus courte que *Pathelin*, etc. Devenu une simple exclamation, le juron a été altéré en *Injan*, *Jen Jen* ou même *Jen* : les pièces du théâtre comique attestent ces formes abrégées en quantité d'exemplaires[42]. Il n'y a, partant, aucune raison d'y voir une allusion au saint patron des juristes parisiens[43].

La graphie (saint) *Mor* (v. 1138) et la forme (saint) *Leu* (v. 1052), dont fait état Mme R. LEJEUNE[44], se rencontrent dans des textes d'origine diverse[45].

De même, saint Mathelin ou Mathurin était le protecteur des fous ou « matelineux », non seulement à Paris. *Matelineux* 'fou' intervient à deux reprises dans la farce rouennaise de *l'Examinateur* (ATF II, p. 375 et 384). Le *mal saint Mathelin* figure dans plusieurs textes dont l'origine

[39] G. FRANK, *Pathelin*, MLN LVI (1941), pp. 42-47. L'idée que *pathelin* serait dû à une confusion avec *patarin* 'hérétique' puis 'hypocrite', émise déjà dans DU CANGE et que reprend W. H. W. FIELD, *The Picard Origine of the Name Pathelin*, MP, LXV (1967), pp. 362-365, est improbable.

[40] Ce nom est l'un des plus fréquents dans les documents d'archives de toutes les régions de la France. Il n'y a aucune raison de croire qu'il incarne spécialement des « filles peu farouches », comme le suggère Mme LEJEUNE, *op. cit.*, pp. 490 s.

[41] Voir l'article de U. T. HOLMES jr, *Les noms de saints invoqués dans le « Pathelin »* in *Mélanges d'histoire du théâtre du Moyen Âge et de la Renaissance offerts à Gustave Cohen*, Paris 1950, pp. 125-129.

[42] Des chiffres précis seront donnés dans le troisième volume de notre *Langue et style* qui traite de « Jurons, serments et souhaits » (en préparation).

[43] R. LEJEUNE, *op. cit.*, p. 489.

[44] *Op. cit.*, p. 489.

[45] Voir les exemples qu'en donne E. V. KRAEMER, *Les maladies désignées par le nom d'un saint*, Helsinki 1949, respectivement, pp. 75-77 et 32 s.

normande ne fait pas de doute, comme *l'Official* (*Six farces normandes du Rec. La Vallière*, v. 78) ou *Tout-Ménage* (ATF II, p. 415). Soit dit en passant la forme « parisienne » *Mathelin* est absente des plus anciennes éditions de *Pathelin* ; c'est HOLBROOK qui l'a substituée à *Mathurin* aux vers 501 et 546 de la farce pour obtenir une rime meilleure [46].

Il n'y a pas à spéculer sur Notre-Dame de Boulogne (v. 86). Le pèlerinage de Boulogne-sur-mer, très populaire, est abondamment mentionné dans des textes de toute provenance, surtout antérieurs au XVIe siècle [47].

La langue et les noms propres de la farce ne fournissant pas d'arguments décisifs pour son origine, on s'est tourné vers d'autres indices. Le plus important est celui qui a été tiré de l'équivalence monétaire : 6 écus = 9 francs = 6 fois 24 sous. Il en résulte d'abord que l'écu valait 30 sous tournois. Comme l'a montré L. FOULET, cette valeur était fixée pour la Normandie par une ordonnance du 7 juin 1456, alors qu'une autre ordonnance du même jour établissait pour les autres parties du royaume la valeur de 27 sous 6 deniers tournois [48]. De plus, six fois 24 sous tournois ne pouvant faire les neuf livres, le prix de l'aune du drap ne peut être indiqué qu'en sous parisis. Ailleurs, Pathelin dit expressément avoir donné au drapier un denier parisis (v. 375).

La question capitale était de savoir si la Normandie avait compté en monnaie parisis. Deux numismates éminents y ont répondu, on le sait, par : « jamais » [49]. Cependant, sur une bande de territoire normand assez large la monnaie parisis a eu également cours. Cette bande, qui s'étend à l'Ouest de l'Epte en bordure de l'Ile-de-France, comprend entre autres villes : Etrépagny, Gisors, Ecouis, les Andelys, Gaillon, Vernon, Argences, Evreux. Pour s'en convaincre il n'est que de voir les nombreux documents concernant ces localités dans les inventaires des archives ecclésiastiques de la Seine-Maritime et de l'Eure. Bornons-nous à en citer quelques-uns :

À la date de 1410, il est question de payer a Guillaume Daguenet, procureur

---

[46] O. JODOGNE, *op. cit.*, p. 437.

[47] Voir E. PHILIPOT, *Trois farces*, p. 44.

[48] Compte rendu de *l'Étude sur Pathelin* de R. T. HOLBROOK in *Romania* XIV (1918-1919), pp. 545 s., E. CAZALAS, *Où et quand se passe l'action de « Maistre Pierre Pathelin »* (suivi d'une note de A. DIEUDONNÉ) in *Romania* LVII (1931), p. 575, croit qu'en pratique cette valeur pouvait être quelque peu majorée. Néanmoins la coïncidence des 30 sous t. dans le calcul du drapier avec la valeur établie pour la Normandie reste frappante.

[49] CAZALAS et DIEUDONNÉ, *art. cité*, p. 576.

du bailliage «de Gisors» 12 livres parisis[50] ; en 1425-1426, le total des recettes «de la terre et chastellerie de Gaillon» est de 300 livres 1 sou parisis[51].

À Etrépagny, en 1490, un bail est passé, concernant un terrain nommé « Passouer Cabaret », pour le prix de 22 sous parisis[52] ; en 1406, le chapitre collégial d'Ecouis donne en bail un lopin de terre à Touffreville moyennant une rente annuelle de 8 sous 5 deniers parisis[53] ; aux Andelys, en 1455, un bail est passé par Pierre Mourgier, prêtre d'Andelys, avec un bourgeois de la même ville pour le prix de 16 sous parisis[54] ; à Vernon, en 1335, on vend trois barils de « vin fourmentel » pour le prix de 6 livres parisis[55].

Le cartulaire du chapitre épiscopal d'Evreux mentionne, à la date de 1330, la vente à « Guillaume d'Ivry, chapelain de l'église N.D. d'Evreux », d'une rente annuelle de 2 sous parisis « assise sur une masure a Saint-Just de Longueville », pour le prix de 17 sous parisis[56] ; à la date de 1340, on trouve un mandement du bailli au vicomte d'Evreux lui ordonnant de faire payer à Guillaume Le Maçon, sous-chantre, et à Bertrand du Bois, chapelain de l'église d'Evreux, une somme de 18 livres parisis due annuellement « a cause de la dime du moulin foullerez d'Evreux »[57].

Dans la même zone on a parfois compté simultanément en monnaie tournois et en monnaie parisis :

En 1409-1410, il est question de « Robin Postel, advocat demourant a Andeli qui fut retenu du conseil de Monseigneur a la pension de 100 sous tournois 4 livres parisis »[58]. Dans un acte de 1341, il est fait donation « à la chapelle Saint-Eustache d'Evreux d'un terrain sis en la même ville », chargé d'une rente de 21 sous tournois et 9 sous parisis dus à plusieurs institutions religieuses d'Evreux[59].

Une situation semblable peut être constatée dans la farce du *Savetier, du sergent et de la laitière*. Une scène de marchandage, du reste imitée

---

[50] Arch. dép. de la Seine-Infér., série G 543, *Invent. Beaurepaire*, t. I, p. 130.

[51] *Ibid.*, G 584, *Invent. cité*, p. 139 ; pour Gaillon, voir aussi *ibid.*, G 584, 587, 589, 590, 593, 598, même *Invent.*, pp. 139 ss.

[52] Arch. dép. de l'Eure, série G 610, *Invent. Bourbon*, p. 188.

[53] *Ibid.*, G 1827, *même Invent.*, p. 352.

[54] *Ibid.*, G 206, *Invent. Bourbon*, p. 117 ; pour les Andelys voir encore Arch. dép. de la Seine-Infér., série G 543, *Invent. Beaurepaire*, t. I, pp. 130 ss. et G 598, *ibid.*, p. 141.

[55] Arch. de l'Eure, série G 69, fol. 5 r°, *Invent. Bourbon*, p. 42 ; voir également *ibid.*, fol. 105 r° ; voir aussi les gages assignés sur la prévôté de Vernon, en 1351, L. DELISLE, *Actes normands de la Chambre des comptes*, Rouen 1871, p. 23.

[56] Arch. dép. de l'Eure, fol. 105 r°, *Invent. Bourbon*, p. 42.

[57] *Ibid.*, fol. 145 r°, *Invent. Bourbon*, p. 43. Sporadiquement on trouve des comptes en monnaie parisis aussi dans d'autres parties de la Normandie, cf. L. DELISLE, *op. cit.*, p. 4, 49, 54.

[58] Arch. dép. de la Seine-Infér., G 543, *Invent. Beaurepaire*, t. I, p. 130.

[59] Arch. de l'Eure, G 69, fol. 276, *Invent. Bourbon*, p. 44. Du reste, les deux monnaies avaient cours officiel en Normandie. Dans la Charte aux Normands (1315), le roi s'engage à ne mettre en circulation que des tournois et parisis de poids et de valeur déterminés. Le même codicille est répété plusieurs fois au XVe siècle. Cf. E. BRIDREY, *Le chapitre de monnéage*, Caen 1942, p. 306.

de *Pathelin* — y a lieu entre le savetier et la laitière qui ne sont pas d'accord sur le prix de réparation d'une chaussure :

> La laitière
> Qu'en paierai ge ?
>
> Le savetier
>   A ung brief mot
> Seize tournois.
>
> La laitière
>   Par saint Bergot,
> Vous en aurés six parisis.

(Trep. II, n° III, vv. 114-116)

En racontant ensuite l'altercation au sergent, le savetier dit encore :

> ... seize tournois
> Pour cuir et peine (lui) demando[y]s,
> Mais elle, de mal (a) toute plaine
> .... [aine].
> Sy m'en offrit six parisis,
> Dont pour le cuir y en est dix.

(vv. 218-223)

La farce du *Savetier et de la laitière*, où on énumère des lieux voisins d'Evreux, a été sans nul doute composée dans cette ville [60].

De telle sorte, Evreux réunit les deux conditions requises par l'équivalence monétaire : 1) l'écu y a la valeur stipulée dans l'ordonnance relative à la Normandie ; 2) on y a compté au XVe siècle à la fois en monnaie parisis et en monnaie tournois.

Il faudrait voir dans quelle mesure les éléments juridiques de *Pathelin*, dont on s'est beaucoup occupé [61], pourraient se vérifier dans cette zone de la Normandie, limitrophe de l'Ile-de-France. Nous n'avons guère

---

[60] Voir *Trep.* II, pp. 27 s.

[61] H. G. HARVEY, *The Judge and the Lawyer in the Pathelin*, RR XXX (1940), pp. 313-333 ; L. DAUCÉ, *L'avocat vu par les littérateurs français*, Thèse Rennes, 1947, pp. 76 ss. et surtout P. LEMERCIER, *Les éléments juridiques de Pathelin et la localisation de l'œuvre* in *Romania* LXXIII (1952), pp. 200-226. Tous ces chercheurs pensent que l'auteur de *Pathelin* appartenait au monde du Palais. Cependant sa connaissance des coutumes et du vocabulaire de la justice (cf. R. LEJEUNE, *Le vocabulaire juridique de Pathelin et la personnalité de l'auteur* in *Fin du Moyen Âge et Renaissance, Mélanges Robert Guiette*, Anvers 1961, pp. 185-194) n'a rien d'exceptionnel à une époque où n'importe qui entendait la chicane et les termes de pratique ; voir J. PLATTARD, *La procédure au XVIe siècle d'après Rabelais, R. XVIe* I (1913), pp. 29 ss.

la compétence nécessaire pour discuter les faits allégués par M. Lemercier et qui indiqueraient plutôt Paris. Nous aimerions seulement défendre les développements de H. G. Harvey, lorsqu'il tâche de démontrer que l'action de la pièce se passe dans une petite ville. Il est, en effet, évident qu'on est dans un lieu où tout le monde se fréquente : Pathelin connaît depuis longtemps la famille du drapier ; celui-ci sait où habite l'avocat puisqu'il ne lui demande pas son adresse ; Pathelin est aussi un ami du juge qui l'invite à dîner ; c'est lui probablement le « maire » dont on parle au v. 27. Il ne faut pas prendre trop au sérieux les paroles du drapier : « je me tordroye de beaucoup a aler par là » (vv. 284-285), d'où M. Lemercier tire la conclusion qu'on a affaire à une localité étendue. D'ailleurs, le drapier se contredit lui-même, lorsque, arrivé chez Pathelin, il assure l'avoir quitté « n'a pas la moitié d'un quart d'heure » (v. 525). Évidemment, l'ancienne farce n'en était pas à une invraisemblance près. C'est aussi mal connaître le comique du théâtre médiéval que de croire que Pathelin n'oserait pas aller à l'audience s'il pensait y rencontrer le drapier. Celui qui ne craint pas de feindre un malade alité depuis onze semaines, alors qu'il vient d'acheter du drap et d'inviter le drapier à déjeuner chez lui, saura aussi facilement affronter une nouvelle rencontre. Il se bornera à se couvrir le visage en prétextant un mal de dents. Expédient primitif, mais qui fait rire le public du XVe siècle. Il rira encore mieux quand le drapier, qui a bien reconnu l'imposteur, ne fera que s'embrouiller de plus belle.

Une circonstance, soulignée déjà par L. Cons, pourrait également témoigner contre la localisation de la pièce dans une grande ville, et notamment à Paris. Le drapier, gros marchand de drap et fabricant de laine est, en même temps, propriétaire d'un troupeau de moutons. Or, si dans les anciens statuts des métiers parisiens il est souvent question de tisserands qui vendent aussi leur drap [62], on n'y parle guère de marchands de draps, propriétaires de troupeaux de bêtes à laine. Cette situation ferait penser plutôt à un centre textile de moindre importance, comme l'était par exemple Evreux. Cependant, si on imagine difficilement un troupeau gardé à Paris même, il faut bien reconnaître qu'un territoire y était attenant où pâturaient des vaches et des moutons. Ce territoire, sur les bords de la Seine, constituait le domaine rural de l'abbaye Saint-Germain-des-Prés. Or, ainsi que le montre Mme R. Lejeune, reprenant certains arguments de M. Lemercier et se référant à une thèse de doctorat sur le Bourg-Saint-

---

[62] R. de Lespinasse, *Les métiers et corporations de la ville de Paris*, Paris 1897, pp. 133 ss.

Germain-des-Prés [63], cette abbaye réalisait aussi les conditions juridiques décrites dans la farce : l'abbé y avait les attributions du « prévôt » ou « maire » ; il y eut tous les jours une audience « au dedans de l'enclos » du Bourg qui se tenait l'après-midi, c'est-à-dire « de relevée » ; le monastère possédait ses propres agents qui allaient convoquer les plaideurs, etc. [64]

Il nous reste à examiner brièvement le problème de l'attribution de la farce à Guillaume Alecis, intimement lié à celui de son origine. Une localisation de la pièce à Evreux serait-elle un argument en faveur de la paternité du « bon moine » de Lyre ? Il est certain qu'elle ne s'y opposerait pas. D'autre part, si les « concordances numériques » n'ont rien prouvé quant à l'auteur de la pièce — pas plus d'ailleurs que leur réfutation — elles n'ont pas moins mis en évidence un fait : c'est qu'en écrivant ses *Faintes*, peu après 1460 [65], Guillaume Alecis avait bien en mémoire la farce [66]. Même en admettant que le mot *pathelin* a existé avant de devenir le surnom de l'avocat, il reste dans *les Faintes* plusieurs réminiscences difficiles à expliquer autrement que par une connaissance directe de la farce. Et quel que soit le *terminus a quo* de *Pathelin* [67], à cette époque, longtemps avant les premières impressions (1486 [68]), la pièce a dû être connue tout d'abord par des représentations. Il est donc plus que vraisemblable qu'elle a été de bonne heure jouée à Evreux, ville proche de l'abbaye de Lyre. Plusieurs

---

[63] Françoise LEHOUX, *Le Bourg Saint-Germain-des-Prés depuis son origine jusqu'à la fin de la guerre de cent ans*, Thèse Paris, 1951.

[64] R. LEJEUNE, *art. cité* de la *Romania*, pp. 515 ss.

[65] Cf. A. PIAGET et E. PICOT, *Oeuvres poétiques de Guillaume Alecis*, SATF, t. I, pp. 57 s.

[66] L'inverse, c'est-à-dire la connaissance par l'auteur de *Pathelin* des œuvres de G. Alecis, n'est guère certain. Les coïncidences relevées par R. T. HOLBROOK entre la farce et *l'ABC des doubles* (*G. Alecis et Pathelin*, p. 293) peuvent être fortuites. Les rimes équivoques, recommandées par les traités de rhétorique, étaient très à la mode dans la deuxième moitié du XVe siècle. Cf. E. LANGLOIS, *Recueil d'Arts de seconde rhétorique*, Index, s. v. « équivoques ». Entre autres l'équivoque *corbeau : corps beau*, citée par HOLBROOK, se retrouve dans *les Menus propos*, *Rec. gén. sotties* I, p. 73, vv. 98-99. Pour les deux poèmes du XIVe siècle, dont fait tant de cas L. CONS, cf. le compte rendu de son livre par Mario ROQUES in *Romania* LIII (1927), pp. 583 s.

[67] Si l'acte de rémission de 1469 (1470 n. st.) fournit le *terminus ad quem* de la farce, son *terminus a quo* reste incertain. L'hiver rigoureux de 1464 auquel se réfère HOLBROOK et qui, soit dit en passant, concernait surtout la Normandie, n'est qu'un prétexte de marchand pour augmenter ses prix. La farce est, en tout cas postérieure à 1456, date avant laquelle l'écu ne saurait valoir 30 s. t., cf. E. CAZALAS, *loc. cit.*

[68] HOLBROOK, *Étude*, pp. 46 s., a bien démontré que tous les manuscrits connus de *Pathelin* remontaient à des imprimés.

compagnies théâtrales paraissent y avoir été actives en ce temps [69], sans qu'on sache rien de leur répertoire.

Pathelin a-t-il aussi été écrit à Evreux ou, plus généralement, en Normandie ? Nous n'oserions pas l'affirmer, surtout vu les arguments en faveur de Paris, tirés de l'histoire de Saint-Germain-des-Prés. Cependant, M. LEMERCIER, qui le premier a été amené à penser à la célèbre abbaye, conclut lui-même qu'aucun des éléments juridiques envisagés n'a de portée décisive. De telle sorte, il semble que le débat est loin d'être tranché ; qui sait d'ailleurs, s'il le sera jamais.

---

[69] Voir G. BONNENFANT, *Histoire générale du diocèse d'Evreux*, t. I, Paris 1933 pp. 110 ss. ; cf. aussi P. SADRON, *Les associations permanentes d'acteurs*, RHTh V (1952) p. 226. M. SADRON qui cite plusieurs confréries n'indique point d'où il a tiré ses renseignements.

2. NOTES SUR QUELQUES PIÈCES DU « RECUEIL DE FARCES FRANÇAISES INÉDITES DU XVᵉ SIÈCLE »

La valeur exceptionnelle pour l'histoire du théâtre comique français, en particulier pour celle de la farce, de la collection de Florence [1], publiée en 1949 par Gustave COHEN [2], est généralement reconnue. Cependant, tous ceux qui s'en sont occupés [3] ont été aussi unanimes à constater les graves défauts de l'édition. Le côté typographique des imprimés a été complètement négligé : on ne trouve aucune description de leurs bois, des titres et des marques d'imprimeurs ; les signatures des feuillets ne sont pas indiqués. Qui plus est, l'éditeur ne disposait que d'une copie prise à la hâte et fort mauvaise, qu'il n'a guère essayé d'améliorer. Enfin l'introduction et le commentaire se ressentent de trois idées admises sans discussion sérieuse : les pièces sont toutes parisiennes, elles remontent au XVᵉ siècle et n'ont que très peu ou pas de rapport avec des textes précédemment connus.

Des preuves déjà fournies, surtout par Mˡˡᵉ DROZ et M. F. LECOY [4], ont démontré l'inconsistance de plusieurs datations et localisations proposées par l'éditeur. L'origine parisienne des nᵒˢ IV, V, VI, VIII, XI, XXX, XL a été réfutée, celle de XLIII et XLIX mise en doute. Les pièces IV, V, XIV, XLII, XLVI et sans doute I ne sont pas antérieures au XVIᵉ siècle. L'impression générale qui se dégage du *Recueil* est que l'on a affaire à des pièces tardives, à des remaniements de versions plus anciennes.

Sans contester l'originalité de la collection — sur ses 53 pièces 45 sont entièrement neuves, dont 40 farces — il y a lieu de rappeler que les nᵒˢ V, XXX, XXXIX et XLVIII se retrouvent dans le Recueil du British

---

[1] Ce nom adopté par la critique pourrait aussi bien désigner *le Recueil Trepperel*, trouvé également en 1928 à Florence par le libraire OLSCHKI.

[2] *Recueil de farces françaises inédites du XVᵉ siècle*, The Mediæval Academy of America, Cambridge (Mass.) 1949.

[3] Les principaux comptes rendus sont ceux de : U. T. HOLMES jr, *Speculum* XXIV (1949). pp. 563-566 ; E. DROZ, BHR XI (1949), pp. 296-303 ; F. LECOY, *Romania* LXXI (1950), pp. 515-530 ; R. LEBÈGUE, RHTh II (1950), pp. 204-212 ; Grace FRANK, MLN LXV (1950), pp. 269-272. Les contributions qui concernent une ou plusieurs pièces du *Recueil* sont indiquées dans les notices qui suivent.

[4] Comptes rendus cités.

Museum et que les n°s XXXVII et Ly sont représentés par d'autres versions. G. COHEN s'est borné à donner les variantes des quatre premières et à signaler l'existence des deux autres sans aucune analyse philologique. La liste des pièces en question peut d'ailleurs être allongée, comme il apparaîtra par la suite.

L'édition serait entièrement à refaire, si on pouvait accéder aux originaux. Malheureusement, ceux-ci sont aujourd'hui dispersés et introuvables. Aussi, les notes ci-dessous ne sont-elles souvent basées que sur l'intuition. Nous espérons cependant qu'elles contribueront, au moins pour une faible part, à la compréhension de quelques-uns de ces textes ainsi qu'à leur datation et localisation.

Martin de Cambrai (XLI)

Cette pièce que G. COHEN a raison de considérer comme « l'une des plus plaisantes du recueil » [5], n'est pas entièrement inconnue. Il en existe une version plus courte — 202 vers au lieu de 489 — dans le *Recueil de Londres* où elle est appelée *Farce du Savetier Audin* [6]. Le sujet est le même : l'enlèvement de la femme du savetier par le curé travesti en diable. Le texte du British Museum (BM) a un début différent, il y manque une conversation de 21 vers entre le savetier et sa femme (les vers 248-268 du *Rec. Cohen*) ainsi que l'épisode amusant (à partir du v. 293) où le curé revient voir le mari, qui croit sa femme emportée par le diable, et feint l'excommunication pour pouvoir la lui restituer. Ce développement est cependant annoncé par les vers qui précèdent la formule finale du *Savetier Audin* :

Audette

(Mais) sçavez-vous que j'ay advisé
Pour mon honneur tousjours recouvrir ?

Le curé

Et quoy ?

Audette

Il vous convient courir
Vers mon mari sçavoir qu'il faict,

---

[5] U. T. HOLMES, *loc. cit.*, la range également parmi les meilleures, à côté des n°s XLII et LIII.

[6] ATF II, pp. 128-139. Ce rapprochement a été déjà fait par M. LEBÈGUE dans le compte rendu mentionné ci-dessus.

> Disant que ne sçavez que c'est
> En lieu du monde [7].

(ATF II, p. 138)

Ces vers se retrouvent presque sans changement dans *Martin de Cambrai* (vv. 288-293). Visiblement l'imprimé de Londres est tronqué de la fin.

Dans la partie qui leur est commune, les deux textes se suivent d'assez près, mais l'auteur de *Martin de Cambrai* délaye le sien, en ajoutant de temps en temps quelques lignes, superflues pour le sens : comparer p. ex. les vers 91-99 ou 159-177 avec les passages correspondants de l'édition ATF ; entre les vers 142 et 151, qui se suivent immédiatement dans BM, il intercale un rondeau. Si donc l'un des textes est raccourci, l'autre, au contraire, a subi un remplissage inutile.

On peut supposer que les prénoms primitifs aient été plutôt Guillemette et Martin qu'Audin et Audette. En effet, l'auteur de la version du BM appelle ses personnages tantôt la Femme et le Savetier, tantôt par leurs prénoms, tantôt encore le Savetier Audin, la femme Audette, Audin le savetier, etc. Ce n'est que vers le milieu de la pièce qu'il adopte définitivement les prénoms seuls. Dans *Martin de Cambrai*, le prénom Guillemette figure trois fois, il y est compté pour quatre syllabes. Un de ces vers est omis dans BM, dans les deux autres on trouve Audette, mais le nombre de syllabes est faux (une fois il manque une syllabe, une fois il y en a une de trop).

Dans *Martin de Cambrai*, la femme rentrée au foyer offre au mari une ceinture symbolique, en lui disant : « Vous estes Martin de Cambrai, Vous en estes saint sur le cul » (vv. 475-476). L'expression, qui a fait l'objet de diverses explications [8] et signifie à peu près 'être un sot ridicule', n'apparaît pas dans la version du BM. Elle a été peut-être ajoutée par le remanieur qui en a fait le titre de la pièce.

En réalité, aucun des deux textes que nous possédons ne semble constituer la rédaction originale. Il est même difficile de dire lequel est postérieur à l'autre. Contrairement à M. LEBÈGUE [9], nous croyons que c'est généralement le cas de la version plus longue.

---

[7] Les textes du BM, cités dans ces notes, ont été revus sur l'édition fac-similé, Genève 1970, mais pour faciliter les confrontations nous indiquons le volume et la page de l'édition ATF.

[8] Voir surtout J. MONFRIN, compte rendu des. *XV. Joyes de mariage*, éd. par J. RYCHNER in *Romania* LXXXVII (1966), pp. 275 ss. et O. JODOGNE, *Notes sur Pathelin* in *Festschrift Walther von Wartburg*, Tübingen 1968, pp. 438 ss.

[9] *Compte rendu cité*, p. 210.

BENEKE [10], et après lui WIEDENHOFEN [11], datent *le Savetier Audin* du début du XVIᵉ siècle. La pièce aurait empruntée l'idée du déguisement de l'amant en diable à la farce du *Retrait* qui, elle-même, semble imitée de la LXXIIᵉ *Nouvelle Nouvelle* et se situe ainsi vers 1500. Cette dernière date pourrait être reculée de quelques années [12] et faire remonter plus haut le *terminus a quo* du *Retrait*. Cependant le motif du déguisement de l'amant en diable est plus largement connu de la tradition narrative [13], ce qui met en question la filiation proposée [14].

Si la farce de *Martin de Cambrai*, tout en étant une réfection, n'en garde pas moins une certaine fraîcheur et ne manque pas d'agrément, celle du *Savetier Audin*, beaucoup plus fade, contient en revanche plusieurs leçons meilleures, qui pourraient être plus proches du texte original. L'utilisation de la version du BM ou, à défaut, de l'édition ATF, aurait permis d'amender le texte de *Martin de Cambrai*. En particulier, elle aurait confirmé les conjectures de F. LECOY concernant les vers 114, 130, 166 [15].

Voici quelques autres propositions : 16 corriger d'après BM en *Vous servirez* qui donne un sens meilleur ; 46 *maistre Fyfy*, sobriquet donné aux vidangeurs, demanderait une note, cf. Rabelais, L. II, ch. XVII ; 55 il faut *tu n'avois vestu qu'ung roquet* comme dans BM, *roquet* 'manteau' n'est pas glosé ; 57 enlever *tout*, de même que l'a fait A. DE MONTAIGLON dans ATF ; 64 trop court, ajouter *et* qu'on trouve dans BM ; 83 il faut *si hardy* et non *hary*, cf. BM ; 90 peut-être corriger : *tous, a bon essient, le dient* ; 99 plutôt *par* (*chascun jour*) *courant* et qui est dans BM ; 115 ajouter une virgule après *orés* ; 130-131 meilleure leçon dans BM ; 134 c'est *a* qu'il faut supprimer et non *je* ; 136 *par la bieu*, il manque un mot d'une syllabe comme˺*mort, croix*, etc ; BM contient les vers qui font défaut après 139 et permet de corriger celui-ci : *Mais pour* (*en*) *estre plus asseuré, Cy dedans vous enfermeray* ; 141 virgule après *feras* ; 147 pour le compte des syllabes il faut *puist* et non *puisse* ; 151 pour la rime corriger plutôt en *demain vespree*, cf. BM ; les vers 169-170 sont faux et ne donnent pas un

---

[10] A. BENEKE, *Das Repertoir ...*, p. 34.

[11] A. WIEDENHOFEN, *Die Entwicklungsgeschichte ...*, p. 35.

[12] Les *Cent Nouvelles Nouvelles* ont été écrites avant 1467, cf. M. ROQUES, c.r. de l'éd. Champion, *Romania* LIV (1928), p. 563, date admise depuis. WIEDENHOFEN prend comme point de départ l'édition Vérard, ce qui semble justifié.

[13] Voir MI, K. 1810.

[14] Comme le dit bien Mˡˡᵉ KASPRZYK, *Nicolas de Troyes et le genre narratif en France au XVIᵉ siècle*, Varsovie-Paris 1963, p. 287, il est très difficile sinon impossible de dater les farces à partir des thèmes narratifs.

[15] *Loc. cit.*, p. 527.

sens satisfaisant ; comme l'a déjà remarqué M. LEBÈGUE [16], BM offre un
texte plus intelligible : au lieu de *Se est-il a ceste fois. J'aray de mon moulin
garnison,* on y lit *Cy est, j'auray a ceste fois De mon mal guarison* — cependant
le dernier vers ne compte que six syllabes ; 189 le vers est mauvais, *Jehan*
ne faisant qu'une seule syllabe, corriger *maistre* en *messire* d'après BM ;
192 il faut *m'amye* comme dans BM et non *la mye* ; 194 vers trop court,
BM a *bouteray* au lieu de *rompré*, mais ajoute *dedans* au vers qui suit et
qui, de ce fait, devient trop long ; dans ce dernier vers, il faut *ferez* et non
feray, cf. BM ; 228 sens meilleur dans BM qui a *chascun les porte* ; 240
ajouter *de* devant *tous*, cf. BM ; 288-291 vers faux, le texte de BM est meilleur ; 311 pour le compte des syllabes il faudrait *est-elle* ; 319 corriger
en *peu esbatant* et 320 *à l'avenant* ; dans 327 *je* est superflu ; 340 *cabeur*
n'existe pas, probablement *cabuseur* ce qui rend le vers trop long ; 414
faute d'impression *dea* ; 420 plutôt *le Dieu de paradis* qui donne une rime
pour 419, mais ne rime pas avec 421 ; 441 ajouter *de* ; 476 l'expression
ceint sur le cul ne comporte pas le calembour (avec *saint*) que suggère la
note de la page 326 ; voir sur cette expression plus haut, n. 8 ; 465 imprimer
donc (ques) ; 487 manque la formule finale *Prenez en gré noz esbatz*, nécessitée
par la rime et figurant dans BM.

La farce du Pâté (XIX)

Une farce du recueil de Londres, *Pernet qui va au vin* [17], est faite sur
la même donnée — la femme et l'amoureux banquettent et se divertissent
pendant que le mari « chauffe la cire ». Dans les deux pièces une partie
de l'action développe cette expression proverbiale qui signifie 'attendre
longuement que les choses prennent un tour meilleur' (Cotgr.). Toutes deux
comportent un jeu de scène traditionnel : le mari trouve des prétextes
toujours nouveaux pour venir interrompre le tête-à-tête des amoureux.
Un procédé analogue est employé dans *le Badin qui se loue* [18]. L'auteur
de la farce du *Pâté* l'applique même à deux reprises : d'abord le mari
cherche à retarder la visite de l'amant, et, durant cette visite, il ne cesse
d'importuner le couple.
La manière d'introduire l'amoureux est différente dans la farce de
Pernet et dans celle du *Pâté*. La femme de Pernet présente le galant comme

---

[16] *Loc. cit.*

[17] ATF I, pp. 195-211.

[18] ATF I, pp. 174-194. E. PHILIPOT, *Six farces*, cite d'autres exemples du même
jeu de scène.

un cousin récemment découvert et qui vient de lui révéler que son mari est d'origine noble. Le bonhomme, qui sait bien à quoi s'en tenir sur le prétendu « cousinage »[19] et qui reconnaît dans l'amoureux son voisin, finit par accepter ce faux parent qui doit fournir les preuves de sa noblesse. Dans la farce du *Pâté*, la femme invente une longue histoire sur la préparation de ce mets : plusieurs personnes y ont pris part, dont le curé qui a acquis ainsi le droit d'être invité. Mensonges inutiles, puisque le mari est au courant des rapports qui unissent sa femme et le curé (cf. vv. 142-143) et qu'il n'a pas le courage de s'y opposer. Les deux maris sont faits sur le même modèle, du reste stéréotypé : à la fois soupçonneux et crédules, ils se laissent facilement berner et, farouches quand ils sont seuls, deviennent apeurés en présence de leurs femmes. Le contraste entre les menaces qu'ils profèrent et leur comportement lâche est rendu dans les deux farces par le même procédé dont voici un spécimen :

L'Homme (*à part*)

Et je soys ravy et mort
S'elle ne vient de chés le prestre.

La Femme

Que dis-tu ?

l'Homme

Je dis que pour estre
Une heure ou deux a son esbat
Ce n'est que bien.

(*F. du Pâté*, vv. 133-138)

Ce jeu se répète sept fois dans la farce du *Pâté*. On y a *Que dis-tu ?* aux vers 135, 179, 219, 249, *qu'esse que tu dis ?* aux vers 223 et 576 et *qu'est-ce que vous dictes ?* au v. 497, auxquels correspondent dans *Pernet* : *dictes-vous ?* (ATF, p. 203) et *que dictes vous ?* (p. 204 et aussi p. 207 où ces paroles sont, par erreur, attribuées au mari[20]). La farce du *Pâté* reprend ensuite la même chose avec une autre formule. Le mari marmonne des imprécations contre les deux convives qui lui refusent sa part du pâté ; interpellé par sa femme (*que fais-tu ?*) ou par le curé (*que fait mon compère, que fait Jehan Jehannin ?*), il répond docilement « je chauffe la cire » (vv. 527, 543-544, 549-550, 720-721, 735).

---

[19] Le cousinage servant d'excuse à l'adultère est une situation conventionnelle du théâtre comique, cf. *le Meunier* d'André de la Vigne, *le Poulier*, etc. Voir aussi PHILIPOT, *Six farces*, p. 120.

[20] Elles appartiennent au vers suivant, prononcé par la femme.

Dans la farce de *Pernet*, le pâté a été remplacé par le vin. Une fois cependant Pernet s'oublie et dit :

> Me faut-il donc chauffer la cire
> Tandis que vous banqueterez ?
> Corbieu, j'en suis marry ;
> Je crois que ce pasté est bon.

(ATF, p. 210)

Ce passage, visiblement corrompu — chaque vers a une autre rime — paraît indiquer que c'est d'un pâté qu'il s'était primitivement agi. C'est un pâté également que nous trouvons dans *le Badin qui se loue*. Pour se débarrasser du valet qui les gêne, les amoureux l'envoient chercher un pâté. Feignant de n'avoir pas compris la commission, celui-ci revient plusieurs fois s'enquérir comment doit être ce pâté. De même, le mari de notre farce retourne pour vérifier si le pâté n'est pas brûlé ou refroidi.

Alors que *Pernet* se termine par des réflexions philosophiques du mari et de l'amant sur leur situation respective, les deux autres pièces ont un dénouement semblable : dans l'une la femme et le badin, dans l'autre l'amant sont roués de coups par le mari [21].

Il est clair qu'un lien étroit existe entre ces trois farces, qui, tout en étant assez différentes, pourraient dériver d'une source commune [22]. Elles ne paraissent pas dépendre l'une de l'autre. Il est d'ailleurs difficile de dire laquelle des trois est la plus ancienne. WIEDENHOFEN date, à tout hasard, *le Badin* des alentours de 1500 [23] et *Pernet* du premier tiers du XVIe siècle [24]. La chanson *Parlez a Binete* que chante le valet dans la farce du *Badin* n'est pas notée dans des recueils antérieurs à 1535 [25]. Très populaire depuis cette date, elle n'a pas dû naître beaucoup plus tôt. *Pernet* ne contient pas d'éléments de datation assez précis. Les paroles prononcées par le mari lorsqu'il apprend qu'il est gentilhomme :

> Sa, sa que je m'acoustume
> A porter le bonnet sur l'oreille

---

[21] Contrairement à ce que dit le résumé de la p. 15 : « À la fin mari et femme se réconcilient sur le dos de leur hôte qu'ils battent », le mari seul s'attaque au curé (vv. 751-752) et la femme a jusqu'au bout partie liée avec celui-ci. Tous deux ils essaient, à leur tour, de battre le mari qui reste cependant maître de la situation. C'est lui qui doit prononcer les vers 763-767, attribués au prêtre.

[22] Serait-ce la farce du *Pâté* jouée au XVe siècle à Saint-Omer dont parle Justin de Pas ? Voir l'introduction de G. COHEN, p. XIV n.

[23] *Op. cit.*, p. 34.

[24] *Ibid.*, p. 54.

[25] Voir la bibliographie donnée par Howard M. BROWN, *Music in the French Secular Theatre 1400-1500*, Cambridge (Mass.) 1963, p. 260.

> Et la plume pour l'apareille
> Tout a l'entour de mon bonnet.
>
> (ATF, p. 200)

peuvent se rapporter aussi bien au bonnet à plumet couché, à la mode pendant la régence d'Anne de Beaujeu [26], qu'à la toque à plume de l'époque de François Ier.

Pour la farce du *Pâté*, nous avons au moins un *terminus ad quem* : la date de la pièce de John Heywood, intitulée *Johan Johan*, qui en est une reproduction en anglais [27]. Imprimée pour la première fois en 1533, elle a été écrite, selon E. K. CHAMBERS, entre 1521 et 1531 [28]. Cependant, le texte dont s'était servi John Heywood, pourrait être légèrement différent du nôtre, comme le montre surtout sa version des trois « miracles » racontés par le curé (vv. 598-659 de la farce du *Pâté*) [29].

Quoi qu'il en soit, dans sa forme connue par le *Recueil de Florence*, le texte français fait l'impression d'un remaniement. Long de 767 vers — le double à peu près d'une farce moyenne — il abonde en développements et en fioritures inutiles, comme la répétition des procédés dont il a été question au début ou les variations sur l'expression *chauffer la cire* qui font l'objet de l'un de ses rondeaux et de plusieurs passages en vers de cinq syllabes.

D'autres traits viennent confirmer la date relativement récente de la farce. Les moqueries sur les miracles et les paroles « ypocrite, bigot et infame » (v. 246) que retorque le mari lorsque sa femme l'assure que son amant, le curé, est « ung vray catholique » (v. 242) sentent l'esprit de la Réforme.

La farce de *Pernet* est parisienne, comme l'indiquent les noms des tavernes qui y sont mentionnées. *Le Badin qui se loue* pourrait l'être également, en dépit de la chanson normande qu'on vient de citer.

L'origine parisienne de la farce du *Pâté*, dont parle l'introduction, p. XXVI, est moins sûre. Il y a des églises Notre-Dame presque partout et des églises Saint-Maurice dans de nombreuses localités. Il n'y a rien à tirer de la formule toute faite *il n'y a deçà Loire* du v. 26. D'autre part la pièce contient le juron *bon gré saint Jame* (v. 715). On retrouve ce saint dans une chanson du manuscrit de Bayeux (LXIV) et dans la farce normande

---

[26] L. QUICHERAT, *Histoire du costume*, pp. 341-342.

[27] Voir surtout T. W. CRAIK, *The True Source of John Heywoods « Johan, Johan »*, MLR XLV (1950), pp. 289-295. Avant la publication du *Rec. Cohen* on rattachait la pièce de Heywood à *Pernet qui va au vin*, cf. I. MAXWELL, *op. cit., passim*.

[28] E. K. CHAMBERS, *The Mediaeval Stage*, Oxford 1903, t. II, p. 455.

[29] Voir T. W. CRAIK, *op. cit.*, pp. 293 s.

de *Tout-Ménage* (ATF II, p. 414); à ma connaissance il n'apparaît pas dans les formules de jurement des textes parisiens, du moins ceux de la littérature dramatique.

A côté de la rime *voisine* : *marraine* (vv. 100-101) qui reproduit la prononciation parisienne, on relève dans la pièce plusieurs rimes qui font penser à une région picarde ou normanno-picarde : *feu* rime avec *venu* (vv. 124-125) ; la rime *menaige* : *batray-je* (vv. 35-36) et *couraige* : *feray-je* (vv. 374-375), répandue sur une vaste aire, appartient essentiellement à l'Est ; enfin la rime plusieurs fois employée *Guillaume* : *femme* [30] (vv. 346-347, 406-407, 416-417) est surtout normande, de même que *av'ous* (v. 442, mal imprimé *a'vous*).

Le texte de la farce du *Pâté* est déformé, de mauvaises rimes et des vers faux y abondent. La plupart sont d'ailleurs faciles à corriger, comme on le voit par le compte rendu de F. LECOY et les remarques ci-dessous qui le complètent.

10 virgule après *Dieu* ; 11-12 *aller de porte en porte comme le pourceau Saint-Antoine* — le *Dict. com.* donne s. v. *pourceau* : « se dit, quand on va quêter ou écornifler chez diverses personnes » ; 58 F. LECOY a déjà proposé de lire aux vers 59 et 76 *Jehan Jehennin* ; la même correction est à apporter à 58, 66, 122, 336, 571 où le prénom n'est pas à la rime, mais qui sont trop courts, *Jehan* ne faisant qu'une syllabe (*Jehennin* qui n'est qu'une graphie pour *Jenin* ou *Jeanin* en fait deux) ; 68 a deux syllabes de trop, corriger en *deusse abatre* ; 72 supprimer *elle* ; 83-84 semblent être un refrain de chanson ; 148 *Sainte Mesaise*, amenée par le jeu de mots avec *mal aise* et *bien aise* des vers précédents, fait partie de l'hagiographie facétieuse et ne devrait pas figurer à l'index onomastique; 171 *prestre* est incompatible avec la rime, le sens et la construction : peut-être corriger en *presbitaire* qu'on lit au v. 349 ; 189-190 *A tous les gibet[z] m'abandonne qu'i me puissent vive emporter* où *gibet* est un euphémisme pour diable (cf. PHILIPOT, *Trois farces*, p. 91) demanderait un commentaire ; 231-232 le schéma des rimes montre que le v. 232 n'est pas amputé du début, comme le suggère la note au bas de la p. 148, mais appartient au v. 231, dans lequel *saincte Marie* est une dittologie à retrancher ; 264 vers trop long, enlever *gardez-la* et peut-être imprimer *je vous l'apporte* ; 267 a une syllabe de trop, plutôt *(i)cy* ; 286 imprimer *Qu'i[l]* ; 291 enlever *G'y vois* ; 299 ajouter *la* devant *table* ; 317 *y* inutile pour le sens et la métrique ; 328 vers trop court, sans doute *[re]tourne*, cf. v. 517 *je l'ay bien souvent retourné* ; 409 *a*

---

[30] Théodore de BÈZE constate que les Normands prononcent *ao* la diphtongue *au*. Voir A. DARMESTETER et A. HATZFELD, *Le XVIe siècle en France*, Paris s. d., p. 206.

est de trop ; 424 *grosser* est glosé 'se moquer', plutôt 'grogner' ; cf. *Pathelin*, v. 755 et Cotgrave ; 446 *junchees* 'tromperies' manque au glossaire ; 462-489 — métaphores érotiques courantes, de même que 530, 570, 730-731, cf. la grivoise farce du *Maignen* et celle des *Femmes qui font refondre* [31] ; 490 *celle* et non *cella* ; 493 *je* est superflu ; 580 supprimer *au* ; 674 vers trop long, le remanieur a peut-être substitué *avec* à *ou*, cf. le vers suivant ; 681 *plus n'y a que frire* 'il n'y a plus rien à manger', cf. *Dict. com.* s. v. *frire* ; 742 *outry* accompagné d'un point d'interrogation au glossaire est le part. passé du v. *outrer* ; la conjugaison en *-i*, répandue surtout en Normandie, était au XVIe siècle en expansion dans la langue parlée des autres régions.

Les Chambrières (LI)

Dans sa note de la p. 420, G. COHEN dit cette farce entièrement différente de la pièce de même nom contenue dans le recueil du British Museum [32]. Cette constatation est juste, mais à une réserve près. En fait, la pièce est composée de deux parties assez distinctes ; dans la première (vv. 1-192), les chambrières échangent des propos indiscrets sur leurs maîtres, dans la seconde (vv. 193-453), elles s'injurient et se battent entre elles. La pièce du *Recueil de Londres* développe le premier thème. Les deux versions sont d'ailleurs indépendantes l'une de l'autre. Un seul détail leur est commun — l'heure matinale de la rencontre ; dans la pièce du BM, les chambrières se rendent à la messe de cinq heures, dans celle du *Rec. Cohen*, elles se lèvent à l'aube pour aller à la fontaine. Les médisances en ces circonstances étaient d'ailleurs traditionnelles. Dans une note de son édition des *.XV. joies*, M. J. RYCHNER cite le texte suivant de l'époque de Louis XI : « les heures des femmes. Et premierement l'eure de matines : mal parler sur les voisins... » [33].

Quant au second épisode, on le retrouve dans un autre texte du *Recueil de Londres* — le *Débat de la nourrice et de la chambrière* [34]. Ici, les ressemblances sont plus nettes. Dans les deux pièces, l'homme qui se réjouit de la querelle des servantes est finalement battu par elles ; toutes deux s'achèvent joyeusement par une libation. Seulement, à la place du Johannes

---

[31] Respectivement ATF II, pp. 90-104 et I, pp. 63-93.

[32] ATF II, pp. 435-447.

[33] *Les .XV. joies de mariage* p. par J. RYCHNER, Genève 1967 (Textes litt. fr.), pp. IX-X n.

[34] ATF II, pp. 417-434.

du *Débat de la nourrice*, on a dans la farce deux personnages : l'allégorique
Debat et un Cordelier qui vient réconcilier toute la compagnie.

Quelques coïncidences textuelles peuvent également être constatées,
surtout dans le répertoire des injures : v. 92 *nourrice breneuse*, ATF, p. 425
breneuse nourrisse [35] ; v. 163 *bavaresse*, ATF, p. 423 *baveresse* ; vv. 226-227
… menteresse. Grosse truande laronnesse, ATF, p. 425 *Laronnesse, tu mens
truande* ; v. 359 *orde garse*, ATF, p. 422 *ordouze garse* (imprimé à tort *or,
douze garse*) ; v. 361 *Je te rompray le museau*, ATF, p. 424 *D'ung vieil
estronc en ton museau* ; vv. 374-375 *Prestresse moy ? C'est toy qui hante les
prestres*, ATF, p. 422 *Tu ne fus oncques que prestresse* ; v. 384 *Va macquerelle*,
ATF, p. 424 *Tu en as esté donc macquerelle* ; v. 433 *Laisson Debat, il ne
vault rien*, ATF, p. 429-430 *Laissons en paix tous ces debatz. Ce brouillis
ne vault ung festu.*

On peut aussi juxtaposer quelques passages plus longs :

La Seconde

Que le feu sainct Antoine l'arde !

La Premiere

Vien ça ! Malheuré[e] paillarde !

(*Les Chambrières*, vv. 353-354)

et ATF, p. 429 :

La Chamberiere

Te lerras-tu mener paillarde !

La Nourrisse

Le feu seinct Anthoine m'arde !

ou bien :

Debat

Tantost y aura beau vacarme,
Si ne vient Cordelier ou Carme,
Qui les puisse mettre d'accord !

(*Les Chambrières*, vv. 315-316)

et ATF, p. 422 :

La Chamberiere

Aux Cordeliers, Prescheurs et Carmes,
Tu vois là faire tes vicarmes.

Enfin :

La Seconde

Au regard du commun rapport

---

[35] L'épithète semble traditionnelle : *nourrisse breneuse* figure aussi dans Collerye
éd. D'HÉRICAULT, p. 204.

Des gens, je n'y conte une maille !

La Premiere

Et je t'entans bien, ne t'en chaille !

(*Les Chambrières*, vv. 63-65)

qui se rapproche de ATF, pp. 422-423 :

La Chamberiere

Or dis ce que tu veulx, et puis
Il ne m'en chault pas d'une maille.

La Nourrisse

Ne t'en chault-il ? Or, ne t'e[n] chaille !

La dernière convergence pourrait être fortuite, *maille: chaille* formant un de ces couples de rimes stéréotypées qui reviennent si souvent dans les textes du Moyen Âge.

Dans l'ensemble, les coïncidences verbales paraissent frappantes, bien que les passages en question soient autrement utilisés dans chacune des deux pièces. On peut admettre qu'il y a filiation entre elles.

Un troisième texte apporte quelques lumières sur leur chronologie relative. Il s'agit du *Caquet des bonnes chambrières*[36]. Cette pièce, non dramatique et probablement plusieurs fois remaniée, est, comme on sait, une compilation. Elle contient, entre autres, 44 vers empruntés à la farce des *Chambrières* du *Recueil de Londres*[37]. Or, il s'y trouve 60 autres vers qui reproduisent, à peu de différences près, le texte qui nous intéresse ici. Ce sont les vers 29-33, 36-39, 46-56, 59-64, 77-81, 83-85, 88-94, 103-105, 137-138, 141, 226-227, 242-244, 246-247 de notre pièce. Seul l'ordre est changé et de nombreux passages sont interpolés[38]. La première impression, ou plutôt réimpression, connue du *Caquet* étant de 1530 environ, cette date doit être considérée comme le *terminus ad quem* des *Chambrières* du *Recueil de Florence*. On ne peut, il est vrai, affirmer certainement que la version qui a servi de base au *Caquet* soit précisément celle qui a été publiée par G. COHEN. Mais ce qui importe, c'est que cette version ait déjà contenu

---

[36] Publié par A. DE MONTAIGLON, *Anc. poés. fr.* V, pp. 71-84.

[37] Voir *Rép.*, p. 118.

[38] Dans sa note bibliographique relative au *Caquet*, MONTAIGLON mentionne une édition rouennaise de Nicolas Lescuyer « dans laquelle rien n'est à sa place » et qui « comporte d'absurdes transpositions ». E. PICOT en parle à peu près dans les mêmes termes, *Mon.* I, p. 422. Cette édition, qui est de la fin du XVIe siècle, ne nous a malheureusement pas été accessible. Il y aurait à vérifier si l'ordre qui y est suivi n'est pas plus proche de celui de notre texte.

la scène des injures. Dans le *Caquet*, ces injures sont adressées à une « nourrice breneuse », censée avoir médit de l'une des chambrières. Comme il n'est guère probable que l'amalgame des deux pièces soit l'œuvre de l'un des remanieurs peu habiles du *Caquet*, il faut le mettre sur le compte de l'auteur de la farce. Celui-ci a pu combiner les motifs primitivement séparés des médisances et de la querelle des chambrières.

Le procédé est assez typique pour l'époque où la veine de l'ancien théâtre comique commence à s'épuiser, c'est-à-dire vers 1530. Les prototypes utilisés pour une nouvelle combinaison remontent généralement au dernier tiers du XVe siècle (cf. ci-dessus II, 1-3). Il se pourrait qu'un semblable décalage dans le temps eût existé entre les anciennes pièces sur les chambrières, appartenant aux deux groupes représentés par le *Recueil de Londres* et les remaniements qui les font fusionner, tels la nouvelle farce des *Chambrières* ou *le Caquet des bonnes chambrières*. Un raisonnement inverse, qui ferait admettre l'extraction et le développement d'une partie de l'anecdote initiale, ne serait guère justifié par l'histoire du théâtre comique.

Pour l'une au moins des pièces du *Recueil de Londres* on peut essayer d'indiquer une date. La Chambrière du *Débat* reproche à la Nourrice :

> Tu accouchas d'une fille a Nante
> Que tu conceus d'ung franc archier
> Et puis angroissas d'ung vachier ...

(ATF, p. 421)

WIEDENHOFEN qui a relevé ce passage, propose 1525-1530 [39]. BENEKE dit « fin XVe » — date invraisemblable, les Franc-archers n'ayant pas existé entre 1480 et 1521 [40]. Si on accepte les déductions sur la chronologie relative des pièces en question, il faudra faire remonter *le Débat* à la première période d'activité de ces compagnies. Sa langue n'apporte aucunes informations. Les quelques archaïsmes de vocabulaire, comme *gabet* 'vanterie', *meschine* 'servante', pourraient s'expliquer par son origine provinciale.

La farce des *Chambrières* du *Rec. Cohen*, qui s'inspire du *Débat* ou d'une pièce similaire, se placerait ainsi entre 1485 et 1530, sans doute plus près de cette dernière date. Sa conclusion :

> De Debat [n'y doit] avoir cure
> En bonne compaignie françoyse.

(vv. 453-454)

pourrait se rapporter à l'époque tourmentée de la minorité de Charles

---

[39] *Loc. cit.*
[40] *Loc cit.*

VIII ou aux premières querelles de la Réforme. Mais il n'est pas sûr qu'il faille prendre à la lettre ces paroles. Les appels à l'unité sont une rengaine qui revient dans les textes de tout temps.

Le *Débat de la nourrice et de la chambrière* n'est, probablement, pas une pièce parisienne. Le seul lieu qui y soit mentionné, Nantes, ne dit rien sur son origine. La nourrice s'y est rendue pour dissimuler sa honte, la ville doit donc être assez éloignée de la région où se joue la pièce.

Sauf la rime *oi*: *e* (*desplaise* : *cervoise*, etc.) représentant une prononciation répandue à Paris et sur une vaste aire au Nord de Paris, le texte contient les rimes *saulcisses* : *miches* (p. 426), *feray-je* : *passaige* (p. 419) et *meneray-je* : *visaige* (p. 428) ; *battre* : *autre* (p. 425) ; la forme *ordouze*, citée plus haut ; *l'en* pour *l'on* (p. 418) ; et *entre vous* pour *vous*[41] (*ibid.*) ; les flamandismes *loudiere*[42] (p. 427) et *vicarmes* pour *vacarmes*[43] (p. 422). Ces traits qui ne suffisent pas pour localiser *le Débat*, indiqueraient une région normanno-picarde.

C'est à la Normandie qu'il faut probablement attribuer la farce des *Chambrières*, du moins dans sa forme primitive. Les vers 217-218 :

> ... tu es la plus infame
> Qui soit a Paris chambrière.

qui ont fait croire à G. COHEN que la pièce était d'origine parisienne, prouvent seulement qu'elle a été arrangée pour un théâtre de Paris ; le nom de la ville, à l'intérieur du vers, a pu remplacer n'importe quel autre nom de deux syllabes.

La farce comporte plusieurs mots normands. Tel est d'abord *becquerelle* (v. 242, 279) 'mauvaise langue' que nous n'avons rencontré que dans des textes normands et, en particulier, rouennais, comme *le Sermon d'un dépuceleur de nourrices* (*Anc. poés. fr.* VI, p. 204), *le Savetier Calbain* (ATF II, p. 154), *la Mère de ville* (*Rec. gén. sotties* III, p. 110, v. 118). Les exemples qu'en donnent GODEFROY et HUGUET sont également normands. Normandes avant tout sont aussi les déformations euphémiques : *vraybique* (v. 263) et *pardicques*[44] (v. 1) ; *tristresse*, qui doit être substitué à *tristesse* aux v. 311, 367, 419 est une forme normande[45] (MOISY) ou picarde (COR-

---

[41] Ces deux dernières formes populaires sont surtout répandues en Normandie, cf. PHILIPOT, *Trois farces*, p. 76.

[42] N. DUPIRE, *Jean Molinet, la vie, les œuvres*, Paris 1932, p. 231. Le mot est plus fréquent dans les textes picards.

[43] M. VALKHOFF, *Les mots français d'origine néerlandaise*, Amersfoort 1931, p. 234. Même observation que pour le mot précédent.

[44] Voir les exemples cités par PHILIPOT, *Six farces*, p. 36.

[45] M. LECOY, *op. cit.*, p. 530, propose de corriger en *traitresse*.

BLET) équivalant à *traîtresse* ; enfin *Raullet* (v. 97) est le diminutif normand de *Raoul*[46].

Quelques prononciations comme *aise* : *noyse* (vv. 116-117), *noyse* : *taise* (vv. 238-239), *plaisent* : *taisent* : *voisent* (vv: 299-302), *percoyve* : *greve* (vv. 180-181) appartiennent également à l'Ouest.

Le texte demanderait de nombreuses corrections et explications, en dehors des propositions déjà faites par M. F. LECOY.

1 *pardicques* et non *pardicquès* ; 67 *fyfy* 'excréments' manque au glossaire ; 68 *tant mal au cœur* et non *tant de mal* (vers trop long) ; 123 *S'elle voit* plutôt que *s'el me voit* ; 145 *Moins d'honneur et plus de prouffit* — proverbe répandu à signaler ; 176 *je n'entens qu'à faire ma main* mériterait une note, cf. *Dict. com.* II, p. 42 : « faire sa main c'est faire un profit injuste dans quelque emploi » ; 193 trop long, corriger en : *Une aytreffois (je) te donneray lieu* ; 203 plutôt *[af]fronter* que *[con]fronter* ; 250 *dresser coquille* non relevé, cf. *Dict. com.* 'tromper, mentir' ; 271 supprimer le premier *de* ; 275 *avec-[ques]* ; 285 pour le sens il faut *a* et non *t'a* ; 286 corriger, d'après *le Caquet*, *regarder* en *regarde* et mettre une virgule à la fin du vers ; 295 *mettre au papier* à rapprocher des exemples donnés par le *Dictionnaire du XVI*[e] *siècle* : *mettre au papier rouge* 'déclarer coupable' et *mettre au papier vert* 'déclarer fou' ; 202 remplacer *taise* par *me taire*, meilleur pour le sens et la métrique, cf. aussi 379 ; 396 changer *infaicte* en *infame* (rime : *ame*) ; 401 la virgule après *Dieu* est inutile.

Regnault qui se marie à Lavollée (VII)

Cette petite pièce charmante, dans laquelle M. R. LEBÈGUE a décélé une ébauche du sujet du *Mariage forcé*[47], est un montage de thèmes et de chansons en vogue.

Les délibérations sur les joies et les misères du mariage, qui en forment le fond, sont un lieu commun dont le succès a été ininterrompu du XIIIe au XVIe siècle.

Les pièces qui développent l'un ou l'autre thème foisonnent, plus particulièrement, autour de 1500. Il suffit d'énumérer ici *le Sermon des Maux de mariage*[48], inspiré des *XV Joyes, la Vray disant advocate des*

---

[46] Ou plutôt *Raul* ; *Raulet* est le nom du père de la farce normande de Me *Mimin étudiant* ; on le retrouve dans une chanson du manuscrit de Bayeux, probablement inspirée par la farce, cf. E. PHILIPOT, *Trois farces*, p. 150 ss.

[47] R. LEBÈGUE, *Molière et la farce* in *Cahiers de l'Association Internationale des Et. franç.*, n° 16, mars 1964, p. 199.

[48] Imprimé vers 1500 ; *Anc. poés. fr.* II, pp. 5-17.

dames, qui est probablement de Jean Marot[49], *la Grant malice des femmes*[50], composée de bribes des *Lamentations* et du *Rebours de Matheolus*. Ces deux poèmes, qui eux-mêmes, ont eu plusieurs rééditions au début du XVIe siècle, sont la source directe ou indirecte de tous les opuscules du genre. Presque tous ils invoquent le témoignage du « bigame », à côté de celui de Jean de Meung[51]. Nous retrouvons cette juxtaposition banale dans *Regnault qui se marie*. On peut surtout en rapprocher le passage suivant du *Sermon des Maux de mariage* :

> Je me rapporte à la tablette
> Des docteurs a ce resolus,
> Comme le bon Matheolus,
> Grant docteur en ceste matiere ...
> Jehan de Meung n'a pas praticqué
> Tant qu'a le docteur allegué ;
> Si en a il faict a travers
> Ung mot en deux bien petis vers :
> « Nul n'est qui maryé se sente,
> S'il n'est fol, qu'il ne s'en repente »

(*Anc. poés. fr.* II, p. 16)

Les deux derniers vers de Jehan de Meung, cités déjà dans l'introduction de Jehan le Fèvre à sa traduction de Matheolus (vv. 25, 26), sont le leitmotiv de notre farce. C'est là aussi le thème de la chanson *Regnault tu t'en repentiras* qui fait le plus grand agrément et forme la charpente des premiers 145 vers de la pièce (elle en compte 311).

Cette chanson est à identifier avec le n° LXXI du *Recueil* publié par G. Paris : *Lourdault, lourdault, lordault, garde que tu feras, Car sy tu te maries, tu t'en repentiras*[52]. La farce reproduit, avec quelques variantes, le texte presque tout entier de la chanson. Seul le refrain est un peu changé. *Lourdault* est substitué par *Regnault* (on trouve cependant au v. 247 qui ne fait pas partie de la chanson : *qu'esse que tu feras lourdault ?*) et celui-ci n'est point répété trois fois ; au lieu de *garde que tu feras*, placé à un autre endroit de la chanson[53], le refrain de la farce donne *tu t'en repentiras*.

[49] *Ibid.* X, pp. 225-268.

[50] *Ibid.* V, pp. 305-318 ; pièce imprimée en 1502. Van Hamel la croit de la fin du XVe siècle ; voir son introduction au t. II des *Lamentations de Matheolus et le Livre de Leesce de Jean le Fevre de Ressons*, Paris 1905, p. CLXIII.

[51] *Ibid.*, p. CLXVIII.

[52] G. Paris, *Chansons du XVe siècle...*, accompagnées de la musique transcrite en notation moderne par A. Gevaert, Paris 1875 (SATF), pp. 69-70.

[53] Au lieu de «Si tu prens jeune femme jamès n'en joyras » (v. 6 du *Lourdault*), la farce a aux vv. 31-32 « Regnault, se tu prens femme, garde que tu feras » et aux vers 43-44 « Se tu prens jeune femme, Elle te reprochera ».

On voit que l'auteur a quelque peu transposé les paroles de la chanson, mais sans rien inventer. Elle était d'ailleurs trop bien connue pour qu'il pût le faire. Petrucci l'a insérée dans ses *Canti B* avec la musique de Loyset Compère [54], le ms. 1597 en reproduit les sept premiers vers [55]. Elle est restée longtemps célèbre, puisqu'on en trouve un écho dans l'épisode des cloches de Varenne de Rabelais (L. III, ch. XXVIII).

Les deux autres chansons de la farce *Chascun m'y crie : marie-toy, marie* et *C'est ung mauvais mal que de jalousie* ont dû être également populaires. Elles sont signalées par leur premier vers *Chascun me crie* [56] et *C'est ung mauvais mal* [57] dans le même *Odhecaton* de Petrucci. Le refrain *Marie-toy, marie* apparaît lui-aussi dans l'oracle des cloches de Varenne (ch. XXVII).

Les chansons éditées par G. PARIS étaient à la mode à la fin du XVe siècle. Le ms. 1597 et les recueils de Petrucci sont, comme l'on sait, des premières années du XVIe siècle. Ceci nous mène donc, de même que la vogue renouvelée de Matheolus, aux dernières années du XVe et au début du XVIe siècle. Telle est, semble-t-il, la date qu'il faut assigner à notre farce. Le calembour ou plutôt la décomposition secondaire [58] de *Lavollée* — nom de la fiancée — et (*se marier*) *à la volée* est bien dans le goût de cette époque.

Le texte de la pièce est relativement correct. Outre les suggestions de M. LECOY et l'ingénieuse remarque de M. J. FRAPPIER concernant la lecture du v. 30 [59], dans lequel *blasme* est à substituer par *basme* (cf. cependant v. 55 où on doit laisser *blasme*):

27 les trois syllabes qui manquent à ce vers sont à prendre sur le vers suivant : on obtiendra ainsi la rime *yras* : *seras*; 42 *j'entens ma gamme* demanderait une note, cf. *L. fig.*, p. 113 ; 49 *chevaucher sans selle*, expression érotique non signalée ; 83 ss. un vers en -*aige* est de trop ; 103 *tu* est superflu ; 194 *mau sainct Leu* 'épilepsie' (cf. E. v. KRAEMER, *Les maladies désignées par le nom d'un saint*, Helsinki 1949, pp. 32 ss.) mériterait une note ; 222 *menant* à corriger en *menent*.

---

[54] Voir la bibliographie de la chanson donnée par Howard M. BROWN, *op. cit.*, pp. 256 s.

[55] G. Paris, *op. cit*, p. 69 et 162.

[56] Voir TIERSOT, *Histoire de la chanson*, p. 459.

[57] BROWN, *op. cit.*, p. 199.

[58] Voir sur ce procédé ci-dessus, III, 2, n. 14.

[59] J. FRAPPIER, *Sur le vers 30 de la farce de Regnault qui se marie à Lavollee* in *Romania* LXXXII (1961), pp. 522-524.

Le Fauconnier de ville (*XXVI*)

Deux fauconniers, un citadin et un villageois, ainsi que le gentilhomme qui se joint à eux, chassent la « beste privée » ou la fille. Ne pouvant se mettre d'accord, ils la jouent à colin-maillard, ce qui permet au fauconnier de ville d'emmener la proie, pendant que les deux autres, moins rusés que lui, ont les yeux bandés et la cherchent à tâtons. Cette anecdote grossière [60], dont le comique douteux repose sur quelques équivoques gaillardes, ne nous occupera ici que pour sa date.

M. Lecoy a déjà constaté qu'il n'y avait rien à tirer de la présence du mot *pathelin* [61]. Un autre détail est à envisager : à leur rencontre les deux fauconniers échangent les propos suivants :

Le Fauconnier de ville

N'avez-vous pas nom Peroton,
Celluy que je congneus ouan ?
Esse votre frere Jouhan
Qui mourut ou ce fut vous ?

Le Fauconnier champestre

Il mourut, dont j'euz grant couroux.

Le Fauconnier de ville

N'en reschappa il point ?

Le Fauconier champestre

                              Nenny,
Mais, par ma foy, j'eus bien la toux
Et fus plus malade que luy.

(vv. 26-33)

Il ne fait pas de doute que les fauconniers parlent d'une maladie récente (« ouan ») dont la toux a été la manifestation principale. Or, on sait qu'il y eut deux grandes épidémies de coqueluche : l'une en 1414, l'autre en 1510. Seule la dernière date peut être prise en considération. L'épidémie de 1510 a servi de prétexte à Gringore pour sa légère et gaie piécette de *la Coqueluche*. Il y présente la maladie comme étant assez bénigne. Cependant un chroniqueur du temps, Nicolle Gilles, notait qu'en août 1510 « une merveilleuse maladie… survint en tout le royaume de France, tant ès villes qu'ès champs, et dont peu de gens évadèrent qu'ils ne fussent malades ou mors de la dicte maladie, en moins d'un moy » [62].

---

[60] Elle se rattache au thème de l'aveugle dupé (MI, K. 333), représenté aussi par le n° XLV du *Rec. Cohen.*

[61] *Op. cit.*, p. 515.

[62] Nous citons d'après la note de l'éd. d'Héricault-Montaiglon des *Oeuvres de Gringore*, Paris 1858, t. I, p. 187.

Si on a parfois abusé de pareils arguments en tirant des conclusions prématurées de la seule mention de la toux, comme l'a fait p. ex. BENEKE pour la farce des *Femmes qui font refondre leurs maris* [63], le passage cité du *Fauconnier de ville* paraît, par contre, suffisamment clair pour autoriser la supposition que la pièce a été écrite en 1510.

Remarques à faire sur le texte : 21 *montjoye* 'tas' manque au glossaire ; 29 corriger *fut* en *fustes* ; 54 ajouter *je* ; 63 il faut *un* et non *une estoc* ; 77 vers trop court, peut-être *D'abatre [une] beste* ; 91 à signaler le double sens de *cocu* ; 109 expression érotique, non relevée ; 122 *feron* dim. de *fere* 'bête sauvage' manque au glossaire ; 171 *lourdoys* demanderait une note, cf. *Trep.* I, n° X, v. 313 et l'explication au glossaire ; 208 mauvaise ponctuation : il faut supprimer le point d'exclamation après *arrière* et placer la virgule avant et non après *gentilloys* ; 209 virgule au lieu du point d'interrogation à la fin du vers ; 212 au contraire, remplacer la virgule par un point d'interrogation ; 228 sans doute ajouter *une* ; 271 le vers est trop court et n'a pas de sens, peut-être substituer *qu'on se taise* à *qu'on ferre* (le schéma des rimes étant irrégulier, on ne sait si le vers doit rimer avec *guerre* ou avec *plaise*) ; 294 il manque une particule négative — *point* ou *pas* ; 296 trop court, ajouter *tu* ; 341 le vers manque d'une syllabe, il faut *de [la] faire* ; 355 vers trop court, au lieu de *De congnoistre bien le trac*, il faut peut-être *tric trac* que l'on trouve au vers suivant et qui n'a pas été expliqué ; l'expression a un sens libre, comme dans *le Résolu* de R. de Collerye, éd. d'Héricault, p. 60 et dans *la Chambrière à tout faire*, *Anc. poès. fr.* I, p. 99 ; cf. aussi SAINÉAN, *La langue de Rabelais*, II, p. 208 ; 383 il faut *que* et non *ce* ; 397 *frasez* veut dire 'nets, élégants' et non 'beaux parleurs' comme le glose la note de la p. 209, cf. l'observation de F. LECOY sur le vers 28 du n° XVIII du même *Recueil* ; 449 *nous* et non *vous*.

Le Clerc qui fut refusé à être prêtre (XI)

Le motif du *Clerc qui fut refusé à estre prestre pour ce qu'il ne scavoit dire qui estoit le pere des quatre fils Haymon* a fait l'objet de notre étude intitulée « La pédagogie par l'exemple concret » [64]. Nous en reproduisons ici le passage relatif à la date et au lieu de composition de la pièce.

En effet, l'« exemple concret » qui sert à expliquer au clerc qui avait été le père des quatre fils Aimon, est tiré de son entourage immédiat. Il s'agit d'un certain « Collard le Fevre... Ung mareschal qui fait les cloches »,

---

[63] *Op. cit.*, p. 25.

[64] À paraître dans *les Mélanges F. Lecoy.*

(vv. 192-193) et qui a « deux grans et deux petits enfants » (v. 139). Celui-ci peut être identifié.

La farce, comme l'a déjà indiqué Mlle Droz, dans le compte rendu du *Rec. Cohen*, est rouennaise — le clerc se défend de venir du quartier mal famé de Saint-Gervais (vv. 71-73) — et non parisienne, comme le voulait l'éditeur. C'est sans doute l'existence d'un hôtel à l'enseigne des *Quatre fils Aymon*, sis en la rue Saint-Martin-du-Pont à Rouen [65], qui a inspiré la question de l'examinateur.

Or, un fondeur de cloches du nom de Colin le Fevre figure dans quelques documents rouennais des premières années du XVIe siècle.

En 1502, les comptes du chapitre Notre-Dame de Rouen parlent du « metal affiné par Colin le Fevre... fondeur qui a fait sonner les cloches à la vollee » [66] ; en 1506, il y est question d'une somme attribuée « Nicolao le Fevre pro lamina erea et eius sculptura seu inscriptione » [67] ; en 1515, les comptes du chapitre mentionnent deux autres fondeurs, Benest Huart et Guillaume le Boucher, alors que l'église ne change généralement pas ses ouvriers : ainsi le verrier Jean Barbe ou le maçon G. Pontis figurent dans les documents du Trésor durant des dizaines d'années.

D'autre part, dès 1506, on trouve un « Nicolas le Fevre, fondeur, demourant en la paroisse Saint-Pierre-l'Honoré », à qui l'église Saint-Vincent à Rouen paye « pour le reste la parpaie de 8 grans chandeliers de corps, pesant 472 livres — 72 livres, 6 sous, 6 deniers » [68] ; il est encore mentionné dans les comptes de la fabrique de cette église en 1519 et en 1531 [69]. Est-ce le même que le fondeur de cloches de la cathédrale ?

Le nom de Lefèvre a été particulièrement répandu à Rouen à l'époque qui nous intéresse et après ; on pourrait donc avoir affaire à plusieurs familles. Cependant, le métier de fondeur semble avoir été repris de père en fils dans l'une d'elles. Outre Colin, identique à Nicolas le Fèvre ou son père, les archives ecclésiastiques de Rouen connaissent un « Pierre le Fevre, fondeur », à qui il est payé, en 1548, « pour ung candelabre a mettre au choeur » la somme de 35 livres [70]. Serait-ce dans cette famille qu'il faudrait

---

[65] Mentionné dans un document de 1463, *Archives ecclésiastiques de Rouen*, série G. 4323 ; voir aussi *ibid.*, 3233. La chanson de geste des *Quatre fils Aimon* a eu une dizaine d'éditions entre 1480 et 1530, cf. B. Woledge, *Bibliographie des romans et nouvelles en prose française antérieurs à 1500*, Genève 1964, n°s 139-141.

[66] *Arch. ecclés. de Rouen*, série G. 2519.

[67] *Ibid.*, 2931.

[68] *Ibid.*, 2816.

[69] *Ibid.*, 7664, 7685, 7699.

[70] *Ibid.*, 7373.

chercher les « deux grans et deux petits enfants » (v. 139) du Collard le
Fèvre de la farce ? Un Jacques le Fevre, appelé aussi Fabry, qui est étroite-
ment lié à la vie de l'église et figure pendant une trentaine d'années, entre
1530 et 1560, dans les comptes du chapitre comme organiste [71], en ferait-il
également partie ?

Quoi qu'il en soit, une indication sur la date du *Clerc qui fut refusé*
peut être déduite des données ci-dessus. La farce ne doit pas être antérieure
à 1502, année où le fondeur de cloches Colin le Fevre est mentionné pour
la première fois dans les documents du chapitre Notre-Dame, et ne dépasse
pas 1515, où on y voit rétribuer deux autres fondeurs. Ainsi la pièce, du
moins dans sa forme primitive, se situerait tout au début du XVIᵉ siècle.

Comme tous les textes du *Recueil de Florence*, celui du *Clerc qui fut
refusé* est altéré et incorrect. De nombreux vers sont trop longs, le schéma
des rimes est souvent brouillé.

12 ajouter *je* ; outre *que* enlever aussi *vous* ; 22 plutôt [*si*] *sot* ; 32 vers
trop long, supprimer *que* devant l'optatif ; 34 une syllabe est de trop,
peut-être supprimer *tu* ; 38 *tout* est superflu ; 40 ajouter *je* ; 57 il faut *prest-*
[*r*]*aige* ; 59 supprimer *le* ; 60 enlever *tout* ; 63 vers trop court : *Monseigneur*
plutôt que *Monsieur*, puisque le clerc s'adresse à un dignitaire de l'église,
cf. v. 51 et 164 ; 68 *bien* est de trop ; 75 il manque une rime pour *sces*,
peut-être *huy* [*fait*] ? 83 [*il*] *te convient* ; 86 plutôt *J'i* que *S'i* ; 90 il manque
une rime pour *prestre*, sans doute *maistre* au lieu de *sire* ; 95 *sans elles voler*
demanderait une note, cf. le *Dict. com.* : « il ne faut pas voler avant que
d'avoir des aîles. Pour dire qu'il ne faut pas prendre un grand vol, si on
n'a du bien pour le soutenir » ; 97 ajouter *je* ; 110 *qu'à* et non *que* ; 123 [*que*]
bon gré ; 158 le vers est trop court et ne rime pas avec *font*, peut-être *va
t'en* [*donc*] ; 192 probablement [*beau*] *sire*, comme au v. 175 ; 200 le deuxième
si est inutile.

Tarabin et Tarabas (*XIII*)

Il serait superflu d'analyser cette farce, faite uniquement de jeux de
mots grivois, et que l'auteur lui-même qualifie de « ung bien petit grace ».
Nous n'en parlerons que pour essayer de déterminer approximativement
la région où elle a été composée.

Contrairement à la plupart des pièces du *Recueil*, elle n'offre aucune
allusion locale qui pourrait servir de point de repère.

Cependant l'expression *tarabin tarabas*, qui a donné à la fois le titre
de la pièce et les noms de ses personnages, semble avoir été répandue

---

[71] *Ibid.*, 9039 à 9057.

surtout dans les provinces de l'Ouest. Avant Rabelais, elle ne nous est connue que par des textes originaires de ces régions. Elle apparaît dans deux passages de la farce normande du *Sourd, du valet et de l'ivrogne* :

> Hau ! tarabin tarabas,
> Eh ! qu'est-ce hau, l'hostesse ?
> (Rec. Mabille I, p. 121, vv. 60-61)

et

> Frappons tarabin tarabas !
> (ibid., p. 128, v. 118)

où elle n'est qu'une onomatopée imitant les coups. Elle a le sens de *patati patata* dans le monologue du *France-archer de Cherré* :

> Voicy pour renfort de bataille
> Des Espagnols ung grand hara,
> Tarabin taraba, patatin patata, [72]
> Et eulx sur moy et moy dessoubz.
> (éd. par L. POLAK, TLF, 1966, vv. 121-124)

Le monologue du *Franc-archer de Cherré* a été composé à Angers, entre 1523 et 1524 [73]. Enfin *tarabin, tarabas* fait partie du refrain chanté par les deux maris dans la farce des *Queues troussées*, orléanaise, du moins dans sa forme attestée par le *Rec. Cohen* [74]. C'est aussi dans le pays de la Loire qu'a pu l'entendre Rabelais.

Les 325 vers de notre pièce comportent quelques prononciations et mots de l'Ouest. Ainsi au v. 104 on a *goulle* pour *gueule* qui rime avec *cule* (à corriger sans doute en *coule*, cf. le sens du v. 111) ; pour *ordoux*, qui est à la fin du v. 313, la rime manque. Plusieurs mots en *-oir* sont graphiés *-ouer* : *mouchouer* (v. 217 et 272), *trenchouer* (v. 271), *salouer* (v. 273), *mengouer* (v. 274). Enfin *tumber* (v. 312) et *coissin* (v. 219) sont des formes normandes (MOISY). Sauf dans le dernier mot, la finale est comptée pour

---

[72] L'alternance *-in* : *-as* est fréquente dans cette sorte d'onomatopées, cf. *traquin traquas* (*Le Monde et Abus, Rec. gén. sotties* II, v. 179), *fatrin fatras* (*Monol. d'un amoureux pendu à la gouttière*, BN, ms. fr. 25428, fol. 1 v°), etc.

[73] Date établie par E. PICOT; voir en dernier lieu l'introduction à l'éd. L. POLAK, *Le Franc-Archier de Baignollet*, suivi de deux autres monologues dramatiques: *Le Franc-archier de Cherré, le Pionnier de Seurdre*, Genève 1966, pp. 9 s.

[74] Déjà M. HOLMES a constaté (*loc. cit.*) que la pièce pourrait être orléanaise. Orléans y est mentionné à la rime (v. 249) et « mary orelien » (v. 297) pourrait avoir un sens double : 1) 'orléanais' et 2) 'portant un bonnet à oreilles de veau' (cf. la rubrique après le vers 298) ; ce dernier sens a échappé à M. HOLMES. Cependant, A. E. KNIGHT, dans ses *Notes on Three Farces of the Florence Collection, Romania* LXXXVIII (1967), pp. 259 ss., a montré d'une manière convaincante qu'Orléans avait pu remplacer Paris, le schéma des rimes étant brouillé dans le passage en question ; d'autres fautes contre la métrique pourraient également être dues au remanieur orléanais.

deux syllabes [75]. *Devanteau* (v. 235 et 238), sans être uniquement de l'Ouest, est fréquent dans cette région. Noël du Fail le considère comme un provincialisme et trouve nécessaire de le gloser par 'tablier' [76]. Il en est de même pour *buée* dont MÉNAGE dit : « On appelle ainsi la lessive dans les provinces d'Anjou, du Maine, de Touraine et de Normandie » [77]. Enfin *harier* (v. 12, 18) 'tracasser' qui est, entre autres, dans *la Ballade des pendus* de Villon, selon E. PICOT « appartient plutôt à la Normandie qu'à une autre province » [78].

Faute d'indications linguistiques contraires, il est donc permis de croire que la pièce a été composée dans l'un des pays de l'Ouest.

Il y a quelques corrections à apporter au texte : 1 il faut *mal* et non *male* ; 12 *teste a doze paires de tocques* 'tête folle', qui semble inédit, à relever ; 28 l'adjectif *punais* 'dégoûtant' mériterait le glossaire ; 69 il manque *tarabas* à la fin du vers ; 103-104 *cule : goule*, cf. plus haut ; 118 pour la rime avec le vers précédent il faut *dire luy laisse* et non *laisse luy dire* ; 171 *bon sus, bon jus*, non relevé ; on rencontre plutôt *sus* et *jus* 'en haut et en bas' ; 174 *escurer* et non *escure* ; 201 *official*, euphémisme pour 'vase de nuit', mériterait d'être glosé, cf. *la Veuve*, v. 142 et la note de PHILIPOT concernant ce vers, *Six farces*, p. 184 ; 279 *sy sang bieu* sans doute *saint sang bieu* ; 285 *vostre forte raige* devrait être placé entre virgules ; 311 il faut *S'a meschef* et non *sa meschef* ; 313 enlever *Tenez, tenez* inutiles pour le sens et la métrique.

Les trois nouveaux martyrs (XL)

Cette « farce », dans laquelle il ne se passe quasiment rien, peut aussi bien être qualifiée de moralité [79] ou de sottie. Quoi qu'il en soit, on a certainement affaire à une pièce bâtarde, difficile à classer, comme c'est souvent le cas pour l'ancien théâtre. Elle ne nous intéresse ici que pour son lieu d'origine.

Dans son compte rendu du *Recueil*, M. F. LECOY indique que le texte est normand. Il semble que l'on puisse préciser davantage. En fait, sauf Rouen et l'invocation de saint Ouen, qui est l'un des grands saints rouennais, toutes les localités énumérées se situent dans le Calvados.

---

[75] Sur l'expansion de cette forme du suffixe, voir notre *Langue et style du théâtre comique*, t. I, p. 29.

[76] E. PHILIPOT, *La langue et le style de Noël du Fail*, p. 24.

[77] W. HEYMANN, *Französische Dialektwörter bei Lexikographen des 16. bis 18. Jahrhunderts*, Giessen 1903, p. 29.

[78] *Rec. gén. sotties* III, p. 122.

[79] Comme le croit G. COHEN, Introduction au *Recueil*, p. XVI.

L'un des martyrs — Procès — parcourt constamment le pays pour plaider ses causes. Chemin faisant, on le voit entrer :

> En la taverne au meilleur vin
> D'Evrecy et de saint Silvin,
> Mesmes a Caen ou a Rouen.

(vv. 114-116)

L'index toponymique donne : vin de Saint Silvin et vin d'Evrecy. Il semble que le passage ci-dessus est à comprendre : 'la taverne d'Evrecy ou de Saint-Sylvain, voire même de Caen et de Rouen, où on trouve le meilleur vin'.

Un autre endroit de la pièce nous mène également dans le Calvados. Le v. 307 *boullons d'auge ou noire vaques*, que G. COHEN déclare, p. 315, ne pas avoir compris, doit être imprimé *boullons d'Auge ou [de] Noire[s] Vacques*. Il veut dire 'les bourbiers (tel est le sens de *boullons* en patois normand) de la vallée d'Auge et ceux des Vaches Noires' [80].

Aux rimes normandes déjà signalées par M. LECOY, on peut ajouter *Pasques* : *relacques* (vv. 335-336), *maces* : *vaches* (vv. 370-371), et surtout *pas cem* rimant avec le latin *pacem* (vv. 78-79), où on a la nasalisation spontanée caractéristique de la Normandie.

Le vocabulaire, très intéressant, est plein de normandismes qui n'ont pas été relevés et glosés. Tels sont : *cretir* (v. 45) 'grisonner' (MOISY), *cohuel* (v. 48), diminutif de *cohue* 'tribunal' dont l'explication a été déjà donnée par U. T. HOLMES dans son compte rendu du *Recueil* et qui a trait surtout à la juridiction de Caen [81], *calanger* (v. 299), *dosne* (v. 220), au glossaire 'dame' et qui signifie en ancien normand 'femme, épouse' (MOISY), *se feindre* (v. 304) 'se ménager' (MOISY), *enhaïr* (v. 295) 'abandonner' (MOISY), *heronde* (v. 40) pour *aronde*, considéré par MÉNAGE [82] comme une forme normande, *plouver* (v. 304), forme dialectale de *pleuvoir*, *canchierres* ou plutôt *cauchierres* (v. 130), inutilement accompagné au glossaire d'un point d'interrogation, et qui correspond au normand *cauchie* : *chaussée*, enfin *bos* (v. 17) qui représente *bois* et signifie bien 'coups de bâton', comme le propose timidement le glossaire, cf. la farce de *Celui qui se confesse à sa voisine* (n° II du *Recueil*), vv. 56-57 : « ... vous serez de boys Chargee asprement et boullee », et la farce du *Pâté et de la tarte*, éd. B. C. BOWEN, v. 290 : « recevant de bos » ; voir aussi *Dict. XVIᵉ s.* v. *bois*.

Le texte ne manque pas de difficultés de toutes sortes. Plusieurs ont déjà été élucidées dans les comptes rendus de F. LECOY et U. T. HOLMES.

---

[80] Il s'agit de la plaine marécageuse entre Villers-sur-Mer et Berneville.
[81] HEYMANN, *op. cit.*, p. 31.
[82] *Ibid.*, p. 35.

Ce dernier a proposé une explication plausible des vv. 44-45, cependant la lecture du vers 44 est incertaine : il devrait y avoir au lieu de *acoustumé* plutôt *acoustume* (ou *a coustume*) pour rimer avec *plume*, ce qui entraînerait un changement de la structure et du sens du vers suivant ; 50 demande un point à la fin ; 116 ponctuation à la fin ; 129 *plateur*, expliqué au glossaire 'métier', à rattacher à *platis* 'planche' (Cotgr. : « a slate shelfe »), comme *houdeur* du même vers, c'est-à-dire *hourdeur* se rattache à *hourdis* ; 131 *carreur* probablement la même chose que *quarrieur* 'ouvrier qui travaille à l'exploitation d'une carrière' (cf. Cotgr.) ; 156 *argent scez*, graphie trompeuse pour *argent sec* ; 163 corriger en *face* (= fasse) *froit ou chault* à cause de la longueur du vers et parce que l'expression s'emploie toujours avec le subjonctif ; 184 *apprendre à quelqu'un sa gamme* mériterait d'être relevé, cf. *L. fig.*, p. 112 ; 220 *ramposne*, mot déjà archaïque, a ici le sens de 're-proche' plutôt que celui de 'moquerie' indiqué au glossaire ; 235 la rime et la métrique exigent *confessé* et non *confesse*, le sens est 'ayant confessé' ; 304-305 *ne se faignist de bien plouver, Neger*, etc. ne donne pas un sens satisfaisant, peut-être corriger *en ne se faignis(t) de rien : plouver, neger*, etc. ; 405 *mesnagiers* et non *mesnages*, cf. v. 399 ; 462 *on faisoit fin sur le kyrie* du dernier vers de la pièce est mauvais ; le texte primitif a pu avoir la forme dialectale *on faison*, corrigée par l'éditeur parisien.

Mince de caire (*XXII*)

Le sujet de la farce — querelle des chambrières, intervention d'un troisième personnage et réconciliation à ses dépens — n'est pas plus original que celui des autres farces de chambrières (cf. ci-dessus). Cependant, comme l'a bien montré il y a quelques années A. E. KNIGHT [83], son auteur ou remanieur était pourvu d'un sens du théâtre et a su donner à sa saynète une structure scénique bien équilibrée.

La notice qui suit n'a trait qu'à la localisation de la pièce.

Sa langue, où abondent des expressions populaires et argotiques, est des plus curieuses. On y trouve quelques mots insolites, comme *pourginee* (v. 83) ou *arcenicles* (v. 125) [84], qui semblent être des déformations populaires de vocables savants.

Le texte comporte plusieurs traits picards. En dehors des rimes *visage* : *plege* (vv. 234-235) et *seur* (sûr) : *couleur* (vv. 118-119) qui se rencontrent aussi ailleurs, on y voit les possessifs *no, vo* : *no chemin* (v. 97), *vo command*

---

[83] A. E. KNIGHT, *op. cit.*, pp. 264 s.

[84] À en juger par le contexte, le sens de ce mot n'a rien à voir avec *arsenic*.

(v. 72). Ils sont confirmés par la métrique de même qu'*arter* (v. 219), forme syncopée d'*arrêter* qui est surtout picarde ou normande. À noter aussi *reverrons* (v. 136), futur du v. *revenir*, typiquement picard [85]. Sur le flamandisme *loudiere*, cf. plus haut la farce des *Chambrières*. *Senssier* (= *censier*), v. 61, n'a le sens 'd'homme de rien' qu'en picard (CORBLET).

Peut-on dans ces conditions ne faire aucun cas de la mention d'Arras (v. 135) rimant avec *voudras*, et de la chanson « Entre Péronne et Saint-Quentin trouvé pastourette nommée... » (vv. 13-14), d'autant plus qu'il en existe une variante avec les paroles « Entre Paris... » ? [86] Gustave COHEN s'est borné à constater dans son introduction, p. XXV : « En XXII (p. 173), Biétrix dit à Friquette :

> Veux-tu point venir au Palais
> Et puis sur le pont Notre-Dame,

si elle invoque Saint-Germain d'Arras (p. 174), Biétrix parle de Guillaume du Port de Nuilly (Neuilly-sur-Seine, sous Paris) ».

La valeur des deux allusions parisiennes, citées par G. COHEN, est cependant inégale. En effet, les vers cités sont suivis de :

> Ou en quelque bonne tavernee,
> Et puis nous en reverrons cy ?

Même si on corrige, comme il se doit, *tavernee* en *taverne* (le vers est trop long), la rime *Dame* : *taverne* ne deviendra pas bonne. Il est vrai que la pièce contient de nombreuses rimes mal assorties, telles que *franches* : *gentes* (vv. 77-78), *perruque* : *duppe* (vv. 35-36), *hommes* : *yvrognes* (vv. 39-40), *mignonnes* : *pommes* (vv. 375-376), etc. et que des licences de ce genre n'étaient pas rares à l'époque [87]. Il n'empêche qu'on peut se demander si Pont Notre-Dame n'a pas remplacé une autre référence topographique.

---

[85] P. FOUCHÉ, *Le verbe français*, Paris 1931, p. 392 et C. Th. GOSSEN, *Petite grammaire de l'ancien picard*, 2ᵉ éd., Paris 1970, p. 118. La forme *deveroit* au v. 303, qui pourrait également être picarde, est cependant scandée *dev'roit*. Il en est de même dans la farce de *Celui qui se confesse à sa voisine* où on a au vers 284 *deveray-ge* et au v. 334 *deverois* comptés pour deux syllabes. Cette farce, qui ne comporte aucune référence locale, présente quelques rimes dialectales (trois fois *-age* : *ai-je*, *o* : *oi*, deux fois *au* : *a*), insuffisantes pour préciser son lieu d'origine. Dans les trois cas, il serait facile de compter le *e* omis dans la scansion, en enlevant un mot monosyllabe, superflu pour le sens. Il n'est pas impossible qu'on y ait affaire à une correction faite par le rééditeur parisien, cf. ci-dessous.

[86] Voir H. M. BROWN, *op. cit.*, p. 213.

[87] H. CHATELAIN, *Recherches sur le vers français au XVᵉ siècle*, Paris 1908, pp. 42-73, donne de très nombreux exemples de rimes irrégulières ; cf. aussi O. JODOGNE, *Notes sur Pathelin*, pp. 435-438.

Il en est autrement pour Guillaume du Port de Nuilly. Bien qu'il y ait de nombreux Neuilly dans le Nord-Est, le nom de Port-Neuilly était plus particulièrement attaché à Neuilly-sur-Seine. Il faudrait donc convenir que la pièce, dans son état actuel, a été confectionnée à Paris.

Sans diminuer l'importance des arguments mis en avant par Gustave COHEN, on serait en droit de retourner son raisonnement et de conclure qu'en dépit des allusions à des lieux parisiens, la farce est d'origine picarde. La version que nous en avons n'est probablement qu'une réfection destinée à un public parisien. Le texte assez déformé a tout l'air d'un « retapage ».

Ce texte demanderait à être soigneusement revu, les expressions difficiles recherchées et commentées. Voici quelques observations.

73 *ane mane* n'est pas une coquille, comme le dit la note de la p. 177, mais une des variantes de l'adverbe d'affirmation *ennemen(t)*. La forme *ane mane* est, entre autres, chez Collerye (*Dialogue pour jeunes enfants*, éd. D'HÉRICAULT, p. 105). *Ennemen* ou *annemen* convient ici parfaitement pour la rime (*a vo command*) et pour le sens ; comme d'habitude le mot est mis dans la bouche d'une femme, voir sur cet emploi PHILIPOT, *Trois farces*, p. 89 ; 84 *feroit* et non *seroit*, les vers 87-88 *ne fault point faire telz dadez, Sang bieu ou trois accollez* sont incompréhensibles ; l'explication de *dadez*, proposée par U. T. HOLMES 'childish toying' n'est pas entièrement satisfaisante. Le mot signifie 'chichis, histoires'. On trouve dans la moralité du *Cœur et des cinq sens* l'exemple suivant : « Jadis ont fait mainte dadee, Mainte folie ou vanité » (éd. R. BOSSUAT, *Mél. Hoeppfner*, vv. 155-156), où *dadee* veut dire 'folie, excès'. Huguet ne connaît pas ce sens. Lire peut-être les vers 87-88 : *ne fault point faire telz dadees Pour deux ou trois accolees* ; en tout cas *sang bieu* est à enlever, c'est une erreur du typographe qui a repris involontairement ce juron du v. 84 ; 95 *de* est superflu ; 99 *pour vous payer avant la main* 'payer comptant' ; 140 *porte-hors*, qui semble désigner 'le postérieur', mériterait d'être relevé ; *brouer* aux vers 147, 254, 291 a un seul sens qui est celui de 'partir, s'enfuir' ; GODEFROY en donne trois exemples du XVᵉ siècle (Molinet, Coquillart, *Chronique belge*) ; le mot appartient à l'argot, il apparaît à plusieurs reprises dans les ballades en jargon de Villon (cf. SAINÉAN, *Les sources de l'argot*, t. II. p. 299) ; chez Coquillart (éd. D'HÉRICAULT, t. II, p. 13) on a l'expression argotique *brouer le terrien* 'se sauver', dans laquelle *terrien* est sans doute une variante de *terrant* 'pays' du jargon de Villon (SAINÉAN, p. 455) ; 149 *ceint sur le cu* 'trompé, cocu', cf. les références données pour les vers 475-476 de *Martin de Cambrai* ; 151 *Dy* est superflu ; 158 *la maladie saint Fremin* ou *Firmin* 'gangrène' (E. V. KRAEMER, *op. cit.*, p. 115 ss.) mériterait une

note ; 169 ss. le schéma des rimes est brouillé, peut-être faire suivre 169 de 173, ce qui donnerait la rime *longue* : *mensogne* (mensonge) et ne gâterait pas le sens ; 196 la glose *huart* 'milan' n'explique pas l'expression *ce sont mots après le huart*, inconnue par ailleurs ; 267 *ne* superflu pour le sens et la métrique ; 273 le nombre des syllabes exige *don[ne]ras*.

Une femme à qui son voisin baille un clystère (*XXVIII*)

Bien qu'écrite avec entrain, la pièce est peu originale. Elle peut être ramenée à quelques motifs stéréotypés : boniment de charlatan, plaintes de la mal mariée, manière de tromper un mari jaloux en feignant la maladie. Le clystère dont il est question est, comme on le devine, le « clystère barbarin », expression gaillarde abondamment attestée au XVe et au XVIe siècle [88]. Sans nous occuper de cette farce, d'un intérêt médiocre, nous relèverons un détail qui paraît assez significatif pour la confection des textes du *Recueil*.

Au v. 45, Doublet jure : *Saint sang bieu que Dieu me fist*. Il est utile de rappeler à ce sujet les paroles d'Eloi Damerval dans sa *Grant Deablerie* :

> Par le saint sang que Dieu me fist,
> Puisqu'il fault jurer en piquart.

PHILIPOT, qui cite ce passage à propos du *Cuvier*, dit n'avoir rencontré la formule exacte que dans la farce de *l'Obstination des femmes* [89]. Or, il est curieux de noter que *la Mauvaiseté des femmes*, réplique de cette dernière dans le *Recueil de Florence*, présente une forme également altérée du serment. Il y manque le mot *saint* (XLVIII, v. 65) [90]. Evidemment, il pourrait y avoir là une simple coquille d'imprimeur. Cependant le parallélisme des deux accidents est assez frappant. On dirait que l'éditeur parisien a trouvé quelque chose de bizarre à cette manière de jurer et a cru nécessaire de la corriger. La farce de *l'Obstination des femmes* ne contient d'aileurs aucune allusion qui confirmerait son origine picarde ou en indiquerait une autre. Les seuls picardismes possibles pourraient être *caboche* (éd. BOWEN, v. 91) et *loudier* (v. 77), mots considérés par les lexicographes du XVIIe et du XVIIIe siècle comme picards, mais que l'on trouve aussi dans d'autres textes.

Dans la farce de la *Femme à qui son voisin baille un clystère*, il est deux

---

[88] Cf. L. SAINÉAN, *La langue de Rabelais*, Paris 1922, t. II, p. 118.

[89] *Trois farces*, p. 45.

[90] G. COHEN l'a restitué d'après le texte du BM. Contrairement à ce que dit la note de la p. 309, celui-ci est meilleur.

fois question d'aller à Sainte-Avoye (v. 333 et 380). Est-ce la chapelle parisienne que sa situation rendait propice aux rendez-vous amoureux [91]
ou simplement la patronne des dévoyés ainsi que le suggérerait le jeu de
mots avec *voye* (v. 332, 339, 379) ?

Quant à Saint-Martin-des-Champs, dont parle la note de la p. 226,
il n'est point dans le texte de la pièce où on ne lit que *par saint Martin*
(v. 335). Evidemment, si l'auteur était parisien, le nom de ce saint pourrait
ne pas être amené sous sa plume uniquement par les besoins de la versification (il rime avec *chemin*), mais aussi à cause de la proximité des deux
églises.

Enfin Notre-Dame de Lience (v. 218), c.-à-d. de Liesse [92], était un
pèlerinage dans le Vermandois, célèbre aussi en dehors de ce pays. À noter
cependant qu'une confrérie dramatique de N.-D. de Liesse a été, à l'époque,
active à Paris.

Le texte comporte quelques rimes dialectales : *litargie* : *allégée* (vv.
263-264), *mesnaige* : *feray-je* (vv. 76-77), *heure* : *asseure* (vv. 106-107).
Le féminin du participe *cheute* (v. 207, 210) est assez caractéristique pour
le picard [93]. Un mot non relevé ailleurs — *bracart* (v. 102) 'brute, fou' —
pourrait être également un picardisme se rattachant à *braque*, *brake* 'vif,
emporté' (CORBLET).

Ces constatations ne suffisent évidemment pas pour localiser le texte,
mais permettent d'exprimer un doute sur son origine parisienne. Il n'est
pas impossible qu'on ait affaire à un remaniement d'une pièce anciennement
provinciale. J'y verrais au moins un texte « adapté » par le rééditeur parisien.

L'hypothèse d'un pareil effort fait par l'imprimeur est confirmée par
d'autres exemples du *Recueil*. Les cas de *on faisoit* pour *on faison* dans
XL, v. 462, et celui de *deveroit*, etc. (XXII, v. 303 et II, v. 294 et 334) ont
déjà été cités. Au v. 565 de la farce de *Celui qui se confesse à sa voisine*
(n° II) on trouve : « Vostre fille ? bon gré saint Etienne ». Le vers compte
neuf syllabes et ne rime pas avec *dame* du vers qui suit. La correction qui

---

[91] Cf. *Trep.* I, n° VII, v. 189 ; voir aussi le commentaire de Mlle DROZ, concernant
ce vers, p. 143.

[92] G. COHEN se demande, p. 226, si *Lience* est identique à *Liesse*. Il n'y a guère à en
douter : la forme à nasalisation se retrouve, entre autres, dans *la Complainte du Nouveau
Marié* : « Or fault faire ung pelerinage a Sainct-Claude ou a Lyance » (*Anc. poés. fr.* IV,
p. 15)

[93] R. BOWEN, *La formation du féminin de l'adjectif et du participe passé dans les
dialectes normands, picards et wallons*, Paris 1937 et C. Th. GOSSEN, *Die Pikardie als
Sprachlandschaft des Mittelalters*, Bienne 1942, p. 40.

semblerait s'imposer est *bon gré saint Jame*, juron que nous ne croyons pas parisien (cf. ci-dessus).

Il est clair que les nécessités de la versification limitaient considérablement les possibilités de telles adaptations. La comparaison de la farce du *Ramoneur*, publiée par G. COHEN (n° XXX), avec le texte correspondant du BM, montre que les rimes dialectales [94] y sont restées intactes. Les seules corrections concernent la graphie de quelques mots : v. 81 *langage* au lieu de *langaige*, v. 82 *ouvrage* au lieu d'*ouvraige*, v. 135 *disné* au lieu de *digné* (rime : *indigné*) ; *moins* à la place de *mains* (cependant v. 214 *paine*, alors que BM porte *peine*).

Si faibles que soient ces velléités de « francisation », elles mériteraient d'être étudiées de plus près pour chacune des trois séries de textes qui constituent le *Recueil Cohen* [95]. Une étude de ce genre dépasse le cadre des présentes notes. D'une façon générale, il semble que les imprimeurs parisiens qui ont fait ces corrections vers 1540 aient montré moins de passivité à l'égard des originaux que ne l'a fait, un peu plus tard, un autre imprimeur parisien, Nicolas Chrestien [96], à qui on doit l'édition d'une vingtaine de pièces du *Recueil de Londres* [97].

[94] WIEDENHOFEN croit la farce rouennaise (*op. cit.*, p. 50), parce qu'on y dit : « puis que la court est en la ville » (p. 85) et que Louis XII a fait un long séjour à Rouen en 1508. Raison insuffisante : de Louis XI à François Ier, il y eut de multiples déplacements de la cour dans toutes les provinces de France. La pièce semblerait plutôt picarde, à cause de sa langue et des vers : « Il a perdu le plait à Romme, Il peult bien appeler à Rains » (205-206), plaisanterie et sans doute équivoque qui a un sens surtout dans la province ecclésiastique de Reims.

[95] Voir E. DROZ, *Trep.* I, pp. LVII ss.

[96] Sur cette attitude de Nicolas Chrestien , voir E. PHILIPOT, *Trois farces*, pp. 72 ss.

[97] Une constatation égale peut être faite en ce qui concerne la modernisation de la langue. Nous avons remarqué plus d'une fois que le texte du *Recueil* était plus éloigné de la version primitive que celui du BM. De nombreux vers munis par G. COHEN du signe [+1] viennent de ce qu'un article ou un pronom personnel y ont été ajoutés (voir en particulier les n°s XXVII et XLV et nos remarques sur les textes). Parfois une tournure désuète a été corrigée : ainsi la préposition *à* a été introduite dans les formules *foy que je doibs* (*à*) *Nostre Dame* (XLI, v. 134) et *foy que je doy* (*à*) *saincte Katherine* (XLVIII, v. 70) ; cette préposition manque au vers correspondant du BM. La locution adverbiale *à present* a été substituée à l'adverbe *present* dans XXV, v. 3, 8, 14 : ce qui a rendu ces vers trop longs. Enfin plusieurs fois l'archaïsme *quelogne* (l'exemple le plus récent qu'en donne Godefroy est de 1515) a été supplanté par *quenouille*, en dépit de la rime *besogne* (XX, v. 45, 101, 357, mais XXVIII : vv. 57-58 *quelogne* : *besogne*). Ailleurs *delivre* a été remplacé par *delivré*, etc. Cependant, comme l'a bien vu G. R. RUNNALS dans l'article plusieurs fois cité dans ce volume (RPh, février 1971, pp. 469 ss.), la proportion des formes archaïques conservées dans les textes adaptés ou remaniés reste plus forte que dans les originaux du XVIe siècle.

Le texte de la farce comporte de nombreuses difficultés et fautes. Voici quelques suggestions pour en élucider ou corriger certaines :

v. 46 *mal assenée* c'est-à-dire *assignée* 'mal lotie' ; 121 supprimer *la* ; 176 *recipe*, accompagné d'un point d'interrogation au glossaire, est attesté au sens de 'recette' dans *Trep.* I, n° XI, v. 12, 88, 92 ; 195 *s'embrouer* 'partir', cf. texte précédent ; 234 le deuxième *qui* est inutile, le vers n'est pas trop long, *y a* étant probablement compté pour une syllabe ; 252 *luy bate la vaine* on ne voit pas la contrepèterie, signalée p. 226, à corriger peut-être en *que* (= parce que) *luy bat la vaine* ; 266 *diaculun* ne figure au glossaire que comme « terme érotique » ; le contexte (*qu'el use du deadragon confit avec diaculun*) indique qu'il y a double sens, de même, que dans beaucoup de textes de l'époque où le nom du médicament *diachylon*, graphié *diaculon*, prêtait à des plaisanteries scatologiques ou grivoises (cf. à ce propos la note de P. Barbier sur *Diamerdis*, RER III (1905), pp. 312-313) ; 286 il faut *hastés* ; 311 *dando*, comme l'a déjà dit M. Lecoy, veut dire ici 'mari trompé' ; le mot dont les variantes sont *dandin, dindo, dindon, dada*, etc. (cf. Philipot, *Six farces*, p. 38) signifie aussi 'sot, imbécile' ce qui pourrait expliquer le surnom du « magister sentencieux » de *Trep.* I, n° IX ; les vers *Et certes je suis bien dando, Dando, mais plus que dandinastre*, où l'on a une sorte de gradation comique, rappellent *gentil [je] suis, gentillastre* de *Pernet qui va au vin* (ATF I, p. 199) ; 316 *en coquoys* ? est dans *Trep.* I, n° VIII, v. 43 : *Leurs couppes coppiars sincopent. Coppies coppient en coquoys* ; le sens de l'expression n'est pas clair, on s'attendrait plutôt à *coppois*, substantif déverbal de *coppier* (anc. *colpier, colpoyer*) 'berner' ; 382 *adieu* (*vous commande*) à écrire en deux mots.

3. LES PLUS RÉCENTES DATATIONS D'ANCIENNES FARCES

Il y a une dizaine d'années paraissaient presque simultanément deux listes de farces avec leurs éditions modernes et les dates de leur composition, telles qu'elles avaient été proposées jusqu'à ce jour. Ces listes — celle de Barbara C. BOWEN [1] et la nôtre [2] — étaient destinées à compléter un répertoire analogue, dressé en 1946 par I. MAXWELL dans son remarquable ouvrage sur la farce française et John Heywood [3]. Elles y ajoutaient, en particulier, les farces des collections de Florence, éditées entre-temps dans deux recueils d'importance inégale : l'un publié en 1949 par les soins de Gustave COHEN, comprenait une quarantaine de farces entièrement nouvelles [4], l'autre, constituant le tome II du *Recueil Trepperel* et paru en 1961, contenait huit textes dont cinq farces précédemment inconnues [5].

Bien que la dernière décennie n'ait pas apporté une récolte aussi abondante, les deux listes se trouvent, à leur tour, vieillies. A côté de quelques glanures nouvelles, comme la farce de *Ragot, Musarde et Babille* [6] ou l'un des jeux du manuscrit Barbantane [7], plusieurs pièces ont été rééditées, telles les quatre farces publiées par B. C. BOWEN [8] ou la farce du *Vilain et de son fils Jacob* [9] dont on ne possédait jusqu'ici qu'une édition imparfaite et peu accessible [10]. Enfin de nombreuses recherches de détail sont venues enrichir notre connaissance de l'ancien théâtre comique.

---

[1] Barbara C. BOWEN, *Les caractéristiques essentielles ...*, pp. 193-202.

[2] BHR XXV (1963), pp. 325-336.

[3] I. MAXWELL, *French Farce and John Heywood*, Melbourne Univ. Press 1946, pp. 121-134. L'auteur y reproduisait en les actualisant les données du *Répertoire* de PETIT DE JULLEVILLE (1886).

[4] Six farces du *Recueil* sont attestées par d'autres versions ; une dizaine sont des sotties ou des moralités.

[5] Le titre du volume — *les Farces* — n'est adéquat que pour une partie des textes.

[6] A. HINDLEY, *Une pièce inédite du XVIᵉ siècle : la Farce de Ragot, Musarde et Babille*, RHTh XXX (1967), pp. 7-23.

[7] *Lourdeau et Tard habile*, publié par F. LECOY in *Romania* XCII (1971), pp. 160-178, tient autant de la farce que de la sottie.

[8] Barbara C. BOWEN, *Four Farces*, Oxford 1967.

[9] Fragment publié par D. W. TAPPAN et S. M. CARRINGTON in *Romania* XCI (1970), pp. 165-169.

[10] A. DE MONTAIGLON, *L'enfant mis aux écoles* in *le Chasseur Bibliographe*, sept. 1862, pp. 5-9.

Qui plus est, ces listes ne sont pas exemptes de défauts. Si l'une pêche surtout par omission, l'autre tombe dans l'excès contraire. Ainsi B. C. Bo-wen, s'en tenant à une définition de la farce, trop étroite à notre gré [11], a exclu de son répertoire des textes comme *Cauteleux, Barat et le Vilain* [12], et quelques autres qui, en dépit des noms allégoriques portés par leurs personnages, ont une action authentiquement farcesque ; il en est de même des *Bâtards de Caux* et du *Maître d'école*, écartés parce que ce sont des « farces polémiques ». De notre côté nous avons inutilement admis des pièces qui représentent, en fait, des moralités ou des sotties, comme la plupart des « farces » de Marguerite de Navarre, la moralité des *Langues émoulues*, les sotties du *Fou et du Sage*, des *Soupiers de Monville*, etc. Plusieurs autres textes dont le caractère dramatique est douteux, tels que *Me Trubert et Antroignart* d'Eustache Deschamps [13] ou *le Testament de Carmentrant* de Jean d'Abondance, devraient également être rayés de la liste.

Un problème épineux est celui des dialogues et des débats dépourvus d'action. Les mettre dans un groupe à part, comme l'a fait Barbara C. Bo-wen ne semble guère possible. Sa liste des dialogues, basée sur des critères purement formels, renferme entre autres *le Vilain et son fils Jacob*, fragment d'un type de farces répandu [14] et *la Confession du brigand* dont le jeu de scène — le curé parle de la confession et le brigand de la bourse qu'il est en train de lui vider — est par excellence farcesque. Il a semblé préférable d'inclure ces pièces et d'autres textes à deux personnages de même aloi dans une liste unique. Nous avons procédé pareillement pour les débats, plus difficiles encore à distinguer. B. C. Bowen fait figurer parmi ceux-ci le grivois *Procès d'un jeune moine et d'un vieux gendarme qui plaident devant Cupido* pour obtenir les grâces d'une fille de joie — sujet de farce, greffé sur le débat médiéval du clerc et du chevalier.

Vu la confusion des genres dramatiques au Moyen Âge, tout choix est nécessairement subjectif. Sans nous dissimuler ce que la liste qui suit peut avoir d'arbitraire, nous espérons que telle qu'elle est, elle permettra aux lecteurs de ces études de se faire une idée plus ample de la production farcesque aux XVe et XVIe siècles.

---

[11] Cf. notre introduction.

[12] Voir sur cette pièce F. Lecoy, *La Farce de Cauteleux, Barat et le Vilain* in *Mélanges Jean Frappier*, Libr. Droz, Genève 1970, pp. 595 ss.

[13] Dans son article des *Mélanges Lebègue*, *La farce et les plus anciennes farces françaises* (pp. 7 ss.), M. O. Jodogne a bien démontré que ce texte n'était pas scénique.

[14] Cf. « Histoire d'un thème : l'enfant mis aux écoles » (ci-dessus II, 2).

Afin de rendre plus aisée la confrontation avec les listes de I. MAXWELL et de B. C. BOWEN, nous gardons leur disposition graphique : titre, numéro du *Répertoire* de PETIT DE JULLEVILLE, édition, date. Les abréviations des recueils de textes, les mêmes que dans le reste du volume, sont facilement identifiables. Les sigles dans la colonne des dates, qui se recouvrent à peu près avec ceux de B. C. BOWEN, indiquent :

AE — Paul AEBISCHER ; pour la date des farces qu'il a éditées, voir surtout ses articles in *Arch. rom.*, vol. XII, XIII, XV et XVII, partiellement réunis sous le titre de *Neuf études sur le théâtre médiéval*, Genève 1972.

B — August BENEKE, *Das Repertoir und die Quellen der französischen Farce*, Weimar 1910.

C — G. COHEN, plus particulièrement l'introduction au *Recueil des farces*. Comme on sait, l'éditeur croyait toutes ces pièces des années 1480-1492 ; nous n'avons reproduit que les datations étayées par des arguments solides.

D — Eugénie DROZ, surtout l'Introduction au t. I du *Recueil Trepperel* et le compte rendu du *Rec. Cohen*, BHR XI (1949).

D–L — E. DROZ et H. LEWICKA, notices des farces de *Trep.* II et de la farce de *Guillod*, BHR XXIII (1961), p. 76

F — Notices des farces du *Rec. Fournier*.

L — H. LEWICKA, en plus des études groupées dans ce volume, voir KN 1954, 1956, l'introduction à *Trep. Fac-sim.*

Lec. — F. LECOY, principalement le compte rendu du *Rec. Cohen* in *Romania* LXXI (1950), l'article des *Mélanges J. Frappier* et l'édition de la « farce » du Manuscrit Barbantane in *Romania* XCII (1971).

M — I. MAXWELL, ouvrage cité.

P — Emile PICOT, surtout les notes introductoires du *Rec. gén. sotties* et celles du *Recueil* publié avec K. NYROP.

Ph — Emmanuel PHILIPOT, introductions à *Trois farces* et à *Six farces*, articles in RER IX (1911) et in *Mélanges M. Roques*, t. II, 1953.

W — August WIEDENHOFEN, *Beiträge zur Entwicklungsgeschichte der französischen Farce*, Münster 1913. Ce travail est essentiellement basé sur l'étude peu consistante de BENEKE. Nous ne le citons que lorsqu'il en diffère.

Les autres auteurs sont nommés en toutes lettres. Enfin les dates non accompagnées de références sont dues aux éditeurs de textes (3e colonne). Rappelons encore que la date limite du *Recueil Trepperel* est de 1525, celle de la collection reproduite par G. COHEN — de 1540 environ, du *Recueil de Londres* (ATF) — de 1550, du manuscrit La Vallière (*Rec. Leroux*) — de 1575[15].

La liste ci-dessous ne tient compte que des opinions déjà publiées et

---

[15] L'édition fac-similé du ms. La Vallière, avec une introduction de W. HELMICH, Genève 1972, a paru trop tard pour pouvoir être prise en considération ici. D'ailleurs, les dates qui y sont indiquées (pp. IX-XVIII) étant basées sur les mêmes sources ne diffèrent pas essentiellement des nôtres.

qui sont arrivées à notre connaissance. De même que I. MAXWELL et
B. C. BOWEN, nous nous abstenons de toute appréciation. Il est évident
que la valeur des datations proposées est très inégale : elle dépend des
possibilités offertes par les textes eux-mêmes ainsi que de la qualité respective des chercheurs. En reproduisant ces dates, parfois plus qu'incer-
taines, nous ne saurions guère en assumer la responsabilité ; celle-ci incombe
entièrement à leurs auteurs. Du reste, notre intention n'est point de dresser
un bilan critique des datations. Nous voudrions seulement fournir une
information sommaire sur l'état de la question à ceux qui, plus d'une fois
encore, viendront se pencher sur le texte difficile de telle ou telle autre
farce pour chercher à en établir la date.

Titre	n°	Édition	Date
Abbesse (L') et les sœurs (= Sœur Fessue)	66	Rec. Leroux II, n° 37	premier tiers XVIe (W) ; av. 1540, SAUL-NIER, BHR XXIV (1962), pp. 545 ss.
Amoureux (Un) voir l'Homme, la femme, le médecin ...			
Amoureux (Deux) re-créatifs et joyeux de Clé-ment Marot	68	Rec. Leroux II, n° 34 ; Picot-Nyrop, n° III	1540-1541 (P)
Amoureux (Les) qui ont les bottines Gautier	—	Rec. Cohen, n° IX	fin XVe
Amoureux (Les trois) de la croix	—	Rec. Cohen, n° VIII	
Antéchrist (L') et trois femmes	69	Rec. de pièces rares p. par. Ch. BRUNET I, Paris 1872	1508 ? (P)
Arbalète (L')	70	Rec. Leroux I, n° 5	début XVIe (B)
Arquemination	—	Farce nouvelle de Ar-quemination, éd. par E. PICOT, Paris 1914 (Bull. du Bibl.)	1500 ?
Aventureux (L') et Guermouset	71	Rec. Leroux III, n° 55 ; Six Farces, 202	pas avant 1528 (Ph)
Aveugle (L') et le boiteux	12	Rec. Jacob, 217 ; Rec. Fournier, 155	1496 (F)
Aveugle (L') et son valet tort de François Briand	—	Éd. H. CHARDON, Pa-ris, H. Champion, 1903	1512

Titre	n°	Édition	Date
Aveugle (*Un*), *son valet et une tripière*	72	*Rec. Leroux* I, n° 12	v. 1450 (B) ; deuxième moitié XVe (W)
Badin (*Le*), *la femme et la chambrière*	73	ATF I, 271	1520 (B)
Badin (*Le*) *qui se loue* voir *le Mari, la femme, le badin* ...			
Bâtards (*Les*) *de Caux*	75	*Rec. Leroux* III, n° 47	milieu XVe (B) ; règne de Louis XII (W)
Bateleur (*Le*), *son valet, Binette* ...	76	*Rec. Leroux* IV, n° 69 :, *Rec. Fournier*, 323 ; *Six farces*, 50	v. 1555 (Ph)
Beaucoup voir et joyeux soudain	—	*Trep.* II, n° II	peu après 1480
Bon payeur voir *Lucas, le bon payeur*			
Bouteille (*La*)	78	*Rec. Leroux* III, n° 46	v. 1540 (B)
Brigand (*Le*), *le vilain, le sergent* ...	79	JUBINAL, *Myst. inéd.* I, 333 ; J. BURKS, B. M. CRAIG, M. E. PORTER, *La Vie Monsseigneur St. Fiacre,* Lawrence 1960, vv. 710-989	fin XIVe (BURKS ...)
Brus (*Les trois*)	80	*Rec. Leroux* II, n° 36	v. 1536 (W)
Calbain voir *Savetier Calbain*			
Capitaine (*Le*) *Mal-en-point*	—	*Rec. Cohen*, n° XLIX	v. 1515 (D)
Cauteleux, Barat et le Vilain	—	*Rec. Cohen*, n° XII	
Celui qui se confesse à sa voisine	—	*Rec. Cohen*, n° II	
Chambrières (*Les*) I	81	ATF II, 435	v. 1530 (B)
Chambrières (*Les*) II	—	*Rec. Cohen*, n° LI	v. 1530 (L)
Chaudronnier (*Un*)	82	ATF II, 105 ; *Rec. Fournier*, 340	v. 1530 (B)
Chaudronnier (*Le*), *le savetier et le tavernier*	83	ATF II, 115	milieu XVIe (B), fin XVe (D-L)
Clerc (*Le*) *qui fut refusé à être prêtre*	—	*Rec. Cohen*, n° XI	v. 1500 (L)

Titre	n°	Édition	Date
Colin, fils de Thevot	86	ATF II, 338 ; Rec. Cohen, n° V	v. 1530 (Ph)
Colin qui loue et dépite Dieu	87	ATF I, 224	1525 (B) ; imité de la trad. franç. du Pogge, 1ère éd. fin XVe, réimpr. plusieurs fois au XVIe (Ph)
Commères (Trois) et un vendeur de livres	88	Rec. Leroux II, n° 40 ; Rec. Mabille II, n° 6	1515-1520 (Ph)
Confession (La) du brigand	—	Rec. Cohen, n° 10	
Confession (La) Margot	—	ATF I, 1	XVIe (B)
Confession (La) Rifflart	—	Trep. II, n° V	fin XVe — début XVIe
Conseil (Le) au nouveau marié	89	ATF I, 1	v. 1510 (B) ; première moitié XVIe (W)
Coquins (Les trois)	—	Rec. Cohen, n° LIII	
Cornette (La) de Jean d'Abondance	90	Rec. Fournier, 439	1544 (F. H. GUY) ; 1ère éd. 1543 (CIORANESCO, Bibliogr. XVIe)
Couturier (Le) et Esopet	91	ATF II, 158 ; Trois farces, 103	v. 1500 (Ph)
Couturier (Le), son valet, deux jeunes filles ...	92	Rec. Leroux I, n° 20	fin XVe (B)
Curia (Le)	94	Coll. Montaran	impr. en 1595
Cuvier (Le)	95	ATF I, 32 ; Rec. Fournier, 192 : Picot-Nyrop, n° I ; Trois farces, 121 ; BOWEN, Four farces, n° 2 ; p. par M. ROUSSE, Rennes 1971	fin XVe (Ph)
Dorelot (Le) aux femmes	—	Rec. Cohen, n° XXIV	
Droits (Les) de la Porte Baudet	—	Rec. Cohen, n° XX	
Enfants (Les) de Bagneux	—	Rec. Cohen, n° XXVII	début XVIe (L)
Le Fauconnier de ville	—	Rec. Cohen, n° XXVI	1511 (L)
Femme (Une) à qui on baille un clystère	—	Rec. Cohen, n° XXVIII	
Femme (La), le badin et deux voisins	97	Rec. Leroux III, n° 50	1480-1490 (B) ; v. 1500 (W)

Titre	n°	Édition	Date
Femme (La) qui fut dérobée à son mari	—	*Rec. Cohen,* n° XXIII	
Femmes (Les) et le chaudronnier	98	ATF II, 90	1510-1520 (B)
Femmes (Les) qui apprennent le latin	—	*Rec. Cohen,* n° XVII	
Femmes (Les) qui demandent les arrérages	100	ATF I, 111	fin XVe (B)
Femmes (Les) qui font accroire à leurs maris ...	—	*Rec. Cohen,* n° XV	
Femmes (Les) qui font baster leurs maris ...	—	*Rec. Cohen,* n° XXIX	
Femmes (Les) qui font refondre leurs maris	101	ATF I, 63	1558 (B) ; impr. par Cantarel av. 1500 (D)
Femmes (Les) qui font rembourrer ...	—	*Rec. Cohen,* n° XXXVI	
Femmes (Les) qui se font passer maîtresses	—	*Rec. Cohen,* n° XVI	v. 1480 (D-L)
Femmes (Les) qui vendent amourettes	—	*Rec. Cohen,* n° XXXVIII	
Figue, Noix et Châtaigne	—	Fragment p. par MONTAIGLON, *Le Chasseur bibl.,* avril 1863, 3	av. 1533
Filles (Deux), deux mariées ... (= La Vieille) de M. de Navarre	102	Éd. V. L. SAULNIER, 96	1542
Fol (Le), le mari, la femme, le curé	—	P. AEBISCHER, *Arch. rom.* XIII, 1929, 501	av. 1470
Fontaine (La) de jouvence	—	E. PICOT, *Bull. du bibl.,* 1900 ; texte défectueux éd. par P. CHAMPION, *Mél. Jeanroy,* 603 ; version fribourgeoise, p. par P. AEBISCHER, *Fragments, Arch. rom.* VII, 1923, n° 2	1525-1530 (P) : plus ancienne (Ph)
Francs-archers (Deux) qui vont à Naples	—	*Rec. Cohen,* n° XIV	troisième décade du XVIe (Lec.)
Frère Guillebert	106	ATF I, 305	1505 (B, C) ; après 1534 (Ph)

Titre	n°	Èdition	Date
Frère Philibert	107	*Rec. Leroux* IV, n° 62	règne de Fr. 1er (W); début XVIe (C)
Fripier (Le) et la fripière	—	*Bull. des Arts* VI, 1847-48, 382	
Galant (Le) qui a fait le coup voir *Le médecin, le badin, la femme ...*			
Galants (Trois) et Phlipot	108	*Rec. Leroux* III, n° 71 ; *Rec. gén. sotties* III, 159	v. 1545 (P)
Garçon (Le) et l'aveugle	4	Éd. M. Roques, CFMA, 1921	1266 ou 1282
Gautier et Martin	—	Éd. p. par P. Aebischer, *Rev. XVIe* XI, 1924, 101	1480-1490
Gentilhomme (Le) et son page	114	*Rec. Leroux*, I, n° 8 ; *Rec. Mabille*, I, n° 8	1525 (Radoff, MLN LI, 1936, 30-32)
Gentilhomme (Le), Lison, Naudet ...	115	ATF I, 250	déb. XVIe (B)
Georges le veau	116	ATF I, 380	v. 1500 (P)
Goguelu (Le)	—	*Rec. Cohen*, n° XLV	dernières années XVe (Lec.)
Guillerme qui mangea les figues du curé	117	ATF I, 328	v. 1560 (B) ; impr. par Cantarel av. 1550 (D)
Guillod, sa femme, l'abbé et le moine	—	BHR XXIII, 1961, 76	1557 (date indiquée dans le ms)
Homme (L'), la femme, le médecin ... (= Un Amoureux)	67	ATF I, 212	1530 (B)
Hommes (Deux) et leurs deux femmes	139	ATF I, 145 ; *Picot-Nyrop*, n° V	fin XVe — déb. XVIe
Hommes (Les) qui font saler leurs femmes	118	*Coll. Montaran*, n° 4	vers 1575 (M. Rousse, éd. à paraître)
Hubert, la femme, le juge ... (= F. du Pet)	119	ATF I, 94	1476 (B)
Janot, Janette, l'amoureux ...	—	P. Aebischer, *Rev. XVIe*, XI, 1923, 143	fin XVe ou déb. XVIe
Jean de Lagny, messire Jean ...	120	*Rec. Leroux* II, n° 31	1520 (B)

Titre	n°	Édition	Date
Jean qui de tout se mêle	—	P. AEBISCHER, *Rev. XVI* , XII, 1924, 131	impr. v. 1510
Jenin, fils de Rien	121	ATF I, 351	dernier quart XVe (C), 1525 (B)
Jenin Landore voir *Résurrection de Jenin Landore*			
Jeninot qui fit un roi de son chat	122	ATF I, 283	déb. XVIe (B) ; dernier quart XVe (D)
Jeune moine (Un) et un vieux gendarme	96	*Rec. pièces rares* p. par Ch. BRUNET I, n° 7 ; autre version *Trep.* II, n° 4	1550 (W), av. (D-L)
Jeunes femmes (Deux) et Maître Antitus	123	*Picot-Nyrop*, n° IV	1510-1520 (B) ; plus tard (L)
Joliet, la femme et le père	124	ATF I, 50	fin XVe (B, C), v. 1520 (W)
Léger d'argent	—	*Rec. Cohen*, n° XXV	v. 1494 (guerres d'Italie, après la mort du pape Innocent)
Lourdaud et Tard habile	—	Éd. F. LECOY, *Romania* XCII, 1971, 160	1455-1465
Lourdinet	—	Fragment éd. par A. THOMAS, *Romania* XXXVIII, 1909, 190	premier quart XVe
Lucas, le bon payeur, Fine Mine ...	126	*Rec. Leroux* III, n° 52 ; *Rec. Fournier*, 376	déb. XVIe (B, C) ; 1520 (W)
Mahuet Badin, natif de Bagnolet	127	ATF II, 80 ; autre version *Rec. Cohen*, n° XXXIX	v. 1500 (B) ; plus récente (L)
Maître d'école (Le)	128	*Rec. Leroux* IV, n° 68 ; *Rec. Fournier*, 412	1520 (B) ; débuts de la Réforme (Ph)
Maître Jean Jenin, vrai prophète	—	*Trep.* II, n° VI	v. 1515 (?)
Maître Mimin, étudiant	129	ATF II, 338 ; *Rec. Fournier*, 316 ; *Trois farces*, 141	1480-1490 (Ph, D)
Maître Mimin le goutteux	130	ATF II, 176 ; *Rec. Fournier*, 315	1534 (Ph)
Maître Mimin qui va à la guerre	—	*Rec. Cohen*, n° IV	v. 1530 (D)

Titre	n°	Édition	Date
Malade (*Le*) de M. de Navarre	131	Éd. V. L. SAULNIER, 14	1538
Malcontentes (*Les*)	133	*Rec. Leroux* IV, n° 60	av. 1520 ; mentionnée dans *le Vendeur de livres* (M)
Mandelette (*La*)	—	Éd. par A. THOMAS, *Romania* XXXVIII, 1909, 180	1450-1475 (B) ; 1400-1425 (W)
Marchand de pommes (*Le*)	134	*Rec. Leroux* III, n° 70	milieu XVe (B)
Marchand de volaille (*Le*) *et deux voleurs*	—	P. AEBISCHER, *Fragments, Arch. rom.* VII, 1923, n° 4	
Marchebeau, Galop ...	136	*Rec. Leroux* IV, n° 67 ; *Rec. Fournier*, 36	temps Charles VII (F) ; troisième tiers XVe (L)
Mari (*Un*) *jaloux*	137	ATF I, 138	milieu XVIe (W) ; impr. av. 1547 (D)
Mari (*Le*), *la femme, le badin et l'amoureux* (= *Le Badin qui se loue*)	138	ATF I, 179	v. 1500 (B) ; peu av. 1535 (L)
Mariage (*Le*) *Robin Mouton*	—	*Rec. Cohen*, n° XXXII	
Martin Bâton qui rabat le caquet des femmes	140	Impr. Garnier, s. d.	
Martin de Cambrai voir aussi *Le Savetier Audin*		*Rec. Cohen*, n° XLI	
Mauvaiseté (*La*) *des femmes* voir *l'Obstination des femmes*			
Médecin (*Le*), *le badin, la femme ...*	141	*Rec. Leroux* II, n° 38	1540 (B)
Médecin (*Le*) *qui guérit toutes maladies*	142	*Rec. Brunet* I, n° 1	déb. XVIe (B)
Mère (*La*), *la fille, le témoin ...* (= *L'Official*)	145	*Rec. Leroux* I, n° 22 ; *Six farces*, 93	1460 (B) ; 1550-1555 (Ph)
Mère (*La*), *le compère, Jouart, l'écolier*	146	*Coll. Montaran*, n° 9	après 1550 (BOWEN, *Caractéristiques*, 96)
Mère (*La*), *le fils et l'examinateur*	147	ATF II, 373 ; *Rec. Leroux* III, n° 57	v. 1500 (B) ; 1500-1510 (D-L)
Messieurs de Mallepaye et Baillevent	148	*Rec. Fournier*, 113	v. 1477 ; peu après (D-L)

Titre	n°	Édition	Date
Messire Jean, le badin, sa mère ...	149	*Rec. Leroux* II, n° 29	déb. XVIe (B)
Meunier (Le) de qui le diable emporte l'âme d'André de la Vigne	151	*Rec. Jacob*, 237 ; *Rec. Fournier*, 162	1496
Meunier (Le) et le Gentilhomme	152	*Coll. Montaran*, n° 10	1550 (B)
Mince de caire	—	*Rec. Cohen*, n° XXII	
Naudet, fragment sans nom, voir *Un gentilhomme, Lison, Naudet ...*	—	P. AEBISCHER, *Fragments, Arch. rom.* VII, 1923, n° 5	
Nourrice (La) et la chambrière	155	ATF II, 417	fin XVe (B) ; av. 1480 (L)
Nouveau marié (Le)	156	ATF I, 11	1455 (B)
Nouveau (Le) Pathelin	157	*Rec. Jacob*, 129	1474 (Jacob) ; v. 1485 (D-L)
Obstination (L') des femmes (= La mauvaiseté des femmes)	158	ATF I, 121 ; *Rec. Fournier*, 126 ; *Rec. Cohen*, n° XLVIII	fin XVe (B) ; av. la *Ballade* LXX de Molinet (L. FOULET, *Romania* LXV, 1939, 32)
Official (L') voir *La Mère, la fille, le témoin ...*			
Ordre (L') de mariage et de prêtrise	—	*Rec. Cohen*, n° XXXI	1480-1490 ; cf. cependant F. LECOY, *Romania* LXXI, 1950, 515
Pardonneur (Le), le triacleur et la tavernière	159	ATF II, 50	v. 1515 (M)
Pâté (Le)	—	*Rec. Cohen*, n° XIX	av. 1533 (date de la 1ère éd. de *John, Tyb and Sir John* de J. Heywood, imité de la farce (T. W. CRAIK, MLR XIV, 1950, 289 s.)
Pâté (Le) et la tarte	160	ATF II, 64 ; *Rec. Fournier*, 12 ; B. C. BOWEN, *Four farces*, n° 1	1470 (B)
Pathelin (Maître Pierre)	161	*Rec. Jacob* 19 ; *Rec. Fournier*, 89 ; éd. R. Th. HOLBROOK, CFMA, 1924 ; 3e éd. corrigée par M. ROQUES,	1464 (HOLBROOK) ; av. 1469 (M. ROQUES)

Titre	n°	Édition	Date
Patinier (Le)	—	1937 ; BOWEN, Four Farces, n° 3 Rec. Cohen, n° XXXV et ibid., version brève, n° XXI	antérieure à la version raccourcie, R. LEBÈGUE, c. r. du Rec. Cohen, RHTh II, 1950
Pattes-ointes (Les)	162	Éd. T. BONNIN, Evreux 1843	1492
Pauvre Jouhan (Le)	—	Trep. I, n° VII ; É. DROZ et M. ROQUES, CFMA, 1959	av. 1488 (D)
Pèlerinage (Le) de sainte Caquette	—	Trep. II, n° VII	1517-1518
Pernet qui va à l'école	167	ATF II, 360	1525 (B) ; après 1510 (D-L)
Pernet qui va au vin	168	ATF I, 195	troisième décade XVIe (M) ; postérieure à la farce du Pâté
Pet (Farce du) voir Hubert, la femme, le juge ...			
Peu-file, Jeanne et Pernette	169	Éd. P. MEYER, Romania X, 1881, 533	fin XVe (B)
Pitance, Colas, le marchand	—	P. AEBISCHER, Arch. rom. XIII, 1929, 515	av. 1470
Poncette et l'amoureux transi	171	Coll. Montaran, n° 5	impr. 1595
Pont-aux-ânes (Le)	172	ATF II, 35 ; Rec. Fournier, 149	1480 (B) ; fin XVe (W)
Porteur d'eau (Le)	173	Coll. Montaran, n° 11 ; Rec. Fournier, 456	1532 (B)
Poulailler (Le) à quatre personnages	174	Rec. Leroux III, n° 43 ; Rec. Mabille II, n° 3 ; Six farces; 129	1500 (B) ; plus tard (Ph)
Poulailler (Le) à six personnages	175	Rec. Leroux II, n° 27	1500 (B)
Pourpoint (Le) rétréci	—	Rec. Cohen, n° XLIV	
Présentation (La) des joyaux	176	Picot-Nyrop, n° VII	v. 1450 (P. AEBISCHER, Romania LI, 1925, 518)
Queues (Les) troussées	—	Rec. Cohen, n° VI	fin XVe (L) ; 1445

Titre	n°	Édition	Date
			(P. SADRON, RHTh, 1960 ; confusion probable avec la première apparition de *Me Aliboron*)
Ragot, Musarde et Babille		Éd. A. HINDLEY, RHTh XXX 1967, 7	v. 1520
Ramoneur (Le) de cheminées	178	ATF II, 189 ; *Rec. Cohen*, n° XXX	1520 (B) ; 1508 (W)
Raoulet Ployart, Doublette ... de P. Gringore	180	Éd. D'HÉRICAULT-MONTAIGLON I, 270	1512
Rapporteur (Le)	179	*Rec. Leroux* II, n° 30	1535(B) ; déb.XVIe (W)
Réjoui d'amour	—	*Rec. Cohen*, n° XVIII	
Renaud qui se marie à Lavollée	—	*Rec. Cohen*, n° VII	fin XVe — premières années XVIe (L)
Résurrection (La) de Jenin à Paume	—	*Rec. Cohen*, n° L	avant les guerres d'Italie (mentionnée dans *Léger d'argent*)
Résurrection (La) de Jenin Landore	182	ATF II, 21	1515 (Ph)
Retrait (Le)	183	*Rec. Leroux* III, n° 53 ; *Rec. Mabille* II, n° 5	v. 1500 (B)
Robinet Badin, la veuve, la commère ... (= La veuve)	184	*Rec. Leroux* III, n° 54 ; *Rec. Mabille* I, n° 10 ; *Six farces*, 163	1490 (B) ; v. 1530 (Ph)
Ruse (La), méchanceté ... d'aucunes femmes	186	*Coll. Montaran*, n° 7	impr. 1596
Savetier (Le) Audin (version brève de *Martin de Cambrai*)	187	ATF II, 128	v. 1500 (B, L) ; postérieure à *Martin de Cambrai* (R. LEBÈGUE, RHTh II, 1950)
Savetier (Le) Calbain	188	ATF II, 128 ; *Rec. Fournier*, 277	1500 (B) ; mais remonte peut-être à une version de la deuxième moitié du XVe (E. PICOT, *Le savetier Calbain remis à la scène*, Paris 1907)

Titre	n°	Édition	Date
Savetier (Le), le moine, la femme, le portier	—	*Rec. Cohen*, n° XXXIII	
Savetier (Le), Marguet, Jaquet	189	*Rec. Leroux*, IV, n° 73	1510 (B)
Savetier (Le), le sergent, la laitière	—	*Trep.* II, n° III	v. 1480-1490
Savetier (Le) qui ne répond que chansons voir aussi *Le savetier Calbain*	—	*Rec. Cohen,* n° XXXVII	1490 (Lec.)
Savetiers (Les deux)	190	*Rec. Fournier*, 210	1506 (F, B); fin XVe
Seigne Peyre et seigne Joan	192	Éd. Silvestre, impr. Pinard, Paris 1832	joué en 1576; impr. par B. Rigaud, Lyon 1580
Sœur Fessue voir *l'Abbesse et les sœurs*			
Sourd (Le), son valet et l'ivrogne	198	*Rec. Leroux* I, n° 21	début XVIe (B); fin XVIe (W)
Tarabin et Tarabas	—	*Rec. Cohen*, n° XIII	
Testament (Le) de Pathelin	200	*Rec. Jacob*, 181	début XVIe (W); quelque peu avant (D-L); impr. en 1505 (G. FRANK)
Thévot	—	Fragment, éd. par Ch. SAMARAN, *Romania* LI, 1925, 199	fin XVe — début XVIe
Thévot le maire, Perruche, Colin leur fils ...	—	Fragment, éd. par I. MAXWELL, *Hum. et Ren.* VI, 1939, 539	1519
Tout-Ménage, Besogne faite	202	ATF II, 406	1500 (B); 1512-1513 (H. LEWICKA, FM 1956, 58)
Tripet	—	Fragment, éd. par Ch. SAMARAN, *Romania* LI, 1925, 200	XVe
Tripière (La)	—	*Rec. Cohen*, n° LII	
Troqueur de maris (Le)	206	*Rec. Leroux* III, n° 59	1550-1560 (Ph)
Valet (Le) qui vole son maître	—	P. AEBISCHER, *Fragments, Arch. rom.* VII, 1923, n° 3 et *Chrestomathie franco-provençale*, Berne 1950, 131	v. 1520

Titre	n°	Édition	Date
Vendeur de livres (Le), pièce en partie identique avec *Trois commères* ...	209	*Rec. Leroux* II, n° 40, *Six farces*, 22	1550 (Ph)
Veuve (La) voir *Robinet Badin*			
Vieil (Le) amoureux et le jeune amoureux	211	*Rec. Leroux* I, n° 7 ; *Rec. Fournier*, 382	1540 (B) ; 1500
Viellard (Le), la femme ... voir *La Fontaine de jouvence*			
Vieille (La) voir *Deux Filles* ...			
Vilain (Le) et son fils Jacob	212	Éd. MONTAIGLON, *Le Chasseur bibliogr.* sept. 1862, 5 ; D. W. TAPPAN et S. M. CARRINGTON, *Romania* (1970) 165	milieu XVIe (TAPPAN-CARRINGTON)

LISTE DES ABRÉVIATIONS

En dehors des sigles couramment usités pour indiquer les titres de revues, les abréviations suivantes ont été utilisées :

A. COLLECTIONS DE TEXTES

AEBISCHER, *Fragments* — P. Aebischer, *Quelques textes du XVIe siècle en patois fribour-geois* in *Arch. rom.* VII (1923), pp. 288-336.

AEBISCHER, *Trois farces* — P. Aebischer, *Trois farces françaises inédites trouvées à Fribourg*, *R. XVIe* (1924), pp. 129-192.

Anc. poès. fr. — *Recueil de poésies françoises des XVe et XVIe siècles* ... réunies et annotées par A. DE MONTAIGLON, Paris 1855-1878, 13 vol. (les t. X-XIII sont signés aussi de J. de ROTSCHILD).

ATF — *Ancien théâtre françois ... depuis les Mystères jusqu'à Corneille*, publié par Viollet-le-Duc, Paris 1854-1857, 10 vol. ; les t. I-III, dus a A. DE MONTAIGLON reproduisent *le Recueil du British Museum* (BM).

CFMA — Les Classiques Français du Moyen Âge.

Collerye — Roger de Collerye, *Oeuvres*. Nouv. éd. par Ch. D'HÉRICAULT, Paris 1855.

Coll. Montaran — *Recueil de livrets singuliers et rares* ... publiés par M. DE MONTARAN, Paris 1829-1830.

Coquillart — Guillaume Coquillart, *Oeuvres*. Nouv. éd. par Ch. D'HÉRICAULT, Paris 1857, 2 vol.

B. C. BOWEN, *Four Farces* — Barbara C. Bowen, *Four Farces*, Oxford 1967.

Gringore — Pierre Gringore, *Oeuvres complètes*, éd. par Ch. D'HÉRICAULT et A. DE MONTAIGLON, Paris 1858-1877, 4 vol.

Picot-Nyrop — Emile PICOT et Chr. NYROP, *Nouveau recueil de farces françaises des XVe et XVIe siècles*, Paris 1880.

Rec. Brunet — *Recueil de pièces rares et facétieuses* ... avec le concours d'un bibliophile (Charles BRUNET), Paris 1872-1873, 4 vol.

Rec. Cohen — Gustave COHEN, *Recueil de farces françaises inédites du XVe siècle*, Cambridge (Mass.) 1949 (The Mediaeval Academy of America, n° 47).

Rec. du BM. Fac-sim. — *Le Recueil du British Museum*. Fac-similé des soixante quatre pièces de l'original (BM, C.20.e.13). Introd. par H. LEWICKA, Genève, Slatkine reprints, 1970.

Rec. Fournier — Edouard FOURNIER, *Le théâtre français avant la Renaissance* (1450-1550). *Mystères, moralités et farces*, Paris s.d. (1872).

Rec. gén. sotties — Emile PICOT, *Le Recueil général des sotties*, Paris 1902-1912, 3 vol. (SATF).

Rec. Jacob — Paul LACROIX (le bibliophile Jacob), *Recueil de farces, sotties et moralités du XVe siècle*, Paris 1859.

Rec. Leroux — LEROUX DE LINCY et Francisque MICHEL, *Recueil de farces, moralités et sermons joyeux*, publiés d'après le manuscrit de la Bibliothèque Royale (= ms. La Vallière, BN, fr. 24341), Paris 1837, 4 vol. Les pages indiquées sont celles de chacune des 74 pièces, numérotées séparément.

Rec. Mabille — E. MABILLE, *Choix de farces, sotties et moralités des XVe et XVIe siècles*, Nice 1872, 2 vol.

Rec. Montaiglon — voir *Anc. poés. fr.*

SATF — Société des Anciens Textes Français.

Six farces — Emmanuel PHILIPOT, *Six farces normandes du Recueil La Vallière*, Rennes 1939.

TLF — Textes Littéraires Français.

Trep. I — Eugénie DROZ, *Le Recueil Trepperel*, t. I : *Les Sotties*, Paris 1935 (Bibl. de la Soc. des Historiens du théâtre, n° VIII).

Trep. II — E. DROZ et H. LEWICKA, *Le Recueil Trepperel*, t. II : *Les Farces*, Genève 1961 (Trav. d'Hum. et Renais., n° 45).

Trep. Fac-sim. — *Le Recueil Trepperel. Fac-similé des trente-cinq pièces de l'original*, précédé d'une introduction par Eugénie DROZ, Genève, Slatkine reprints, 1966.

Trois farces — Emmanuel PHILIPOT, *Trois farces du Recueil de Londres*, Rennes 1931.

B. DICTIONNAIRES ET RÉPERTOIRES

AaTh — Anti AARNE et Stith THOMPSON, *The Types of the Folktale. A Classification and Bibliography*, Helsinki 1961 (FFC, t. 184).

BENEKE — August Beneke, *Das Repertoir und die Quellen der französischen Farce*, Weimar 1910.

BLOCH-WARTBURG — O. Bloch et W. v. Wartburg, *Dictionnaire étymologique de la langue française*, 5e éd., Paris 1968.

BOLTE-POLÍVKA — J. Bolte et G. Polívka, *Ammerkungen zu den Kinder - und Hausmärchen der Brüder Grimm*, Leipzig 1913-1931, 5 vol.

BROWN, *Music* — *Music in the French Secular Theatre 1400-1500*, Cambridge (Mass.) 1963 (Harvard Univ. Press).

CORBLET — J. Corblet, *Glossaire étymologique et comparatif de patois picard ancien et moderne*, Paris 1851.

Cotgr. — R. COTGRAVE, *A Dictionnairie of the French and English Tongues*, London 1611, reprod. Columbia 1950 (Univ. of North Carolina Press).

DAUZAT — A. DAUZAT, J. DUBOIS, H. MITTERAND, *Nouveau dictionnaire étymologique et historique*, Paris 1964.

Dict. com. — Ph.-J. LE ROUX, *Dictionnaire comique*, Lyon 1752.

Dict. XVIe — E. HUGUET, *Dictionnaire de la langue française du XVIe siècle*, 1925-1967, 7 vol.

FEW — W. v. WARTBURG, *Französisches etymologisches Wörterbuch. Eine Darstellung des galloromanischen Sprachschatzes*, 1922 ss.

FFC — *Folklore Fellows' Communications*, Helsinki 1910 ss.

Fur. — Ant. FURETIÈRE, *Dictionnaire universel*, 2e éd., La Haye 1701.

God. — Fr. GODEFROY, *Dictionnaire de l'ancienne langue française*, Paris 1881-1902, 11 vol.

HEYMANN — W. HEYMANN, *Französische Dialektwörter bei Lexikographen des 16. bis 18. Jhs*, Giessen 1903.

Invent. Beaurepaire — Charles DE ROBILLARD DE BEAUREPAIRE, *Inventaire sommaire des archives départementales antérieures à 1790. Seine-Inférieure*, Paris 1864-1898, 8 vol.

Invent. Bourbon — Georges BOURBON, *Inventaire sommaire des archives départementales antérieures à 1790. Eure, Archives ecclésiastiques.* Série G, Evreux 1886.

L. fig. — Edmond HUGUET, *Le langage figuré au XVIᵉ siècle*, Paris 1933.

MI — Stith THOMPSON, *Motif-Index of Folk-Literature*, 2ᵉ éd., Copenhague 1955-1958, 6 vol.

MOISY — H. Moisy, *Dictionnaire de patois normand*, Caen 1887.

Mon. I, II, III — Émile PICOT, *Le monologue dramatique* in *Romania* XV, XVI, XVII (1886-1888).

NICOT — J. Nicot, *Thrésor de la langue françoyse tant ancienne que moderne*, Paris 1606.

G. PARIS, *Chansons du XVᵉ s.* — G. Paris, *Chansons du XVᵉ siècle*, publ. d'après le manuscrit de la Bibl. Nationale ... musique transcrite en notation moderne par A. GEVAERT, Paris 1875 (SATF).

Rép. — L. PETIT DE JULLEVILLE, *Répertoire du théâtre comique en France au Moyen Âge*, Paris 1886.

Rich. — P. RICHELET, *Dictionnaire françois*, Genève 1680.

ROTUNDA — D. P. Rotunda, *Motif-Index of the Italian Novella in Prose*, Bloomington 1942 (Indiana Univ. Publ.).

SAINÉAN, *Les sources de l'argot* — L. Sainéan, *Les sources de l'argot ancien*, Paris 1912, 2 vol.

WIEDENHOFEN — A. Wiedenhofen, *Beiträge zur Entwicklungsgeschichte der französischen Farce*, Münster 1913.

INDEX DES PIÈCES ET DES AUTEURS DRAMATIQUES

TABLE DES MATIÈRES